黄河國家治理文獻集成（清代卷）第四十二册

《黄河國家治理文獻集成》編委會　編

總第五十八册

清代漢文朱批奏摺黄河治理資料輯録

（七）

張曉東　輯

內蒙古出版集團
內蒙古人民出版社

圖書在版編目（CIP）數據

清代漢文朱批奏摺黄河治理資料輯録．七 / 張曉東輯．-- 呼和浩特 ： 内蒙古人民出版社， 2025. 8.
（黄河國家治理文獻集成）. -- ISBN 978-7-204-16671-8

Ⅰ. TV882.1

中國國家版本館 CIP 數據核字第 2025W4E950 號

清代漢文朱批奏摺黄河治理資料輯録（七）

輯　　録　張曉東
策劃編輯　王　瑶
責任編輯　賈大明　徐　飛
裝幀設計　劉那日蘇　吉　雅　安立新
責任監印　包鐵柱
出版發行　内蒙古出版集團　内蒙古人民出版社
地　　址　呼和浩特市新城區中山東路 8 號波士名人國際 B 座 5 層
網　　址　http：//www.impph.cn
印　　刷　内蒙古愛信達教育印務有限責任公司
開　　本　880mm×1230mm　1/16
印　　張　23.75
字　　數　280 千
版　　次　2025 年 8 月第 1 版
印　　次　2025 年 8 月第 1 次印刷
印　　數　1—1000 册
書　　號　ISBN 978-7-204-16671-8
定　　價　198.00 元

編纂委員會

引　言

千古河流成沃野，幾年沙勢自風湍。

得益于黄河冲積所帶來的疏松土質和有機物，中華先民利用石製工具開始了農業生産，并逐步發展出旱地粟作農業，『能够最大程度保障食物供給的穩定性，奠定了中華文明起源和形成的堅實基礎』〔一〕。而利用河水灌溉，提高區域可預測農業産量，『在産業史上起着最有決定性的作用』〔二〕。隨後，技術進步、經濟發展、人口增加，讓先民的文化生活大爲豐富。嚴文明先生評價道：『這是一場影響深遠的革命。』〔三〕在這場革命中，平衡水、沙、産、人四者之間的關係，始終是黄河治理的核心問題。四者關係一旦失衡，就容易引發諸多灾患。

歷史上，黄河下游因人口稠密、經濟發達，一直是學術界關注的重點。但自河源至今内蒙古托克托縣河口鎮的黄河上、中游區域，雖遠離王畿，人口稀疏，却也一直備受關注，人們逐步認識到黄河全流域治理是國家的重要任務。《漢書》載：『堤防之作，近起戰國，雍防百川，各以自利。』〔四〕没有全流域的協同治理，僅靠各地分段築堤，則黄河河患無法解決。秦建立了中國歷史上第一個中央集權大一統王朝，秦始皇東巡碣石，刻石銘記『决通川防，夷去險阻』〔五〕，開啓中央政府調動各要素治黄之先河，這『在中國，實質上是國家的一種職能』〔六〕。同時，國家通過對黄河的有效治理，爲沿黄流域人民群衆乃至其他地區人民群衆提供了重要的公共物品和産業支撑，成爲人民群衆眼中中央政府的功過評價指標之一。因此，治黄在增强沿黄各族群國家、政治、文化認同的基礎上，强化了中國大一統國家的合法性，成爲歷代國家治理能力的一個重要測度。

一、黄河治理維護了國家的社會穩定

從秦并六國到漢朝建立大一統國家，中國統一的多民族國家形成并得到初步發展。當時中央政府對所轄疆域有『北邊郡』和『内郡』之稱。内蒙古額濟納旗出土的居延漢簡有載，『猳（豭）田以鐵器爲本北邊郡毋鐵官印器内郡令郡以時博賣予細民毋令豪富吏民得多取販賣細民』，可以看出北邊郡是與内郡相對應的行政管轄區域。《史記》卷二十八『封禪書第六』載：『上乃遂去，並（并）海上，北至碣石，巡自遼西，歷北邊至九原。』〔七〕。《史記》卷三十『平準書第八』載：『天子北至朔方，東到太山，巡海上，並（并）北邊以歸。』〔八〕司馬遷多次提及北邊，足見統治者對北邊治理的重視。

漢武帝時，齊人延年提出從今内蒙古引黄河水經今北京一帶，向東注入渤海，以衛北部邊疆。『是時方事匈奴，興功利，言便宜者甚衆。齊人延年上書言：「河出昆侖，經中國，注勃海，是其地勢西北高而東南下也。可案圖書，觀地形，令水工準高下，開大河上領，出之胡中，東注之海。如此，關東長無水災（灾），北邊不憂匈奴，可以省隄（堤）防備塞，士卒轉輸，胡寇侵盜（盜），覆軍殺將，暴骨原野之患。天下常備匈奴而不憂百越者，以其水絶壤斷也。此功壹（一）成，萬世大利。」』〔九〕《史記》卷二十四『樂書第二』載：『天馬來兮從西極，經萬里兮歸有德。承靈威兮降外國，涉流沙兮四夷服。』〔十〕如今，包頭地區出土了『四夷盡服』瓦當，出土文物與傳世文獻的呼應，成爲黄河治理維護祖國北部邊疆穩定的見證。

《史記》卷三十『平準書第八』載：『嚴助、朱買臣等招來東甌，事兩越，江淮之閒（間）蕭然煩費矣。唐蒙、司馬相如開路西南夷，鑿山通道千餘里，以廣巴蜀，巴蜀之民罷焉。彭吳（吴）賈滅朝鮮，置滄海之郡，則燕齊之閒（間）靡然發動。及王恢設謀馬邑，匈奴絶和親，侵擾北邊，兵連而不解，天下苦其勞，而干戈日滋。』〔十一〕清代《汾陽縣志》卷十三『藝文』收録曹學閔《開修黄蘆嶺車路紀德政碑記》，上載：『永寧州，界連西陲，北達邊外歸綏諸路，商賈遠貿粟麥，泛皮船隨黄流南下，聚于州西磧口，一府之民仰利賴焉。而東至太原，南抵平陽，州縣凡二十餘，亦視汾爲橐籥，蓋所繫非特一方生計矣。』〔十二〕民國時期，東北淪陷後，開發西北刻不容緩，而『黄河中游之水利，自應加以擴充及整理，藉（借）收桑榆之效，以挽狂瀾於（于）萬一』〔十三〕。

因黄河流域自然條件優越，歷朝歷代都十分重視對此地的開發，通過强有力的國家干預方式推動各類産業的發展，爲中國北部疆域的形成和社會穩定奠定了基礎。

二、民族交往、物資交流、技術轉移促成黃河治理共同體

《史記》卷十五『六國年表第三』載：秦始皇三十三年（前214），『築長城河上，蒙恬將三十萬』[十四]。這數十萬人中，擁有一技之長的人員不在少數。由此，邊地人口不斷增多，而豐富的物産則促進了商品交流與統一市場的形成。西漢《鹽鐵論·力耕第二》記録了『异物内流』的情形：『是以贏（騾）驢馲駞（駝），銜尾入塞，驒騱騵馬，盡爲我畜，鼲鼦狐貉，采旃文罽，充於（于）内府，而璧玉珊瑚瑠（琉）璃，咸爲國之寶。』[十五]此後，黄河北岸的『贏（騾）驢馲駞（駝）』『驒騱騵馬』『鼲鼦狐貉』『采旃文罽』與西南織錦、中原麻織、農作物等物資相互交流，逐步形成統一的國内大市場，加强了邊疆與其他地區的經濟聯繫，促進了邊疆特色産業的發展。

隨着民族交往交流交融的增强，清代以降，黄河流域内蒙古段輸入到内地的也不僅僅是『异寶』了。《綏遠通志稿·水路》載：『自乾隆以還。口外墾殖日廣。民殷物阜。出境之油、糧、鹽、鹼（碱）、甘草各貨。入境之日用雜貨。山西與歸綏往來之商運。凡經河路者皆以托屬河口爲唯一之碼頭。』[十六]從清乾隆年間到民國時期，由内蒙古經黄河運到山西的貨物有糧、油、鹽、碱、藥材、皮毛等，其中以糧油爲最大宗。糧食品種主要有糜黍、穀子、高粱、豆類及玉米、大小麥

等，油料主要是胡麻。内蒙古供貨支綫有從阿拉善盟阿拉善左旗吉蘭泰鹽池到山西吕梁市磧口鎮的運鹽駝路，五原縣、臨河區一帶各大幹渠的運糧水道，杭錦旗、達拉特旗的甘草馱運綫，鄂托克旗的運鹼駝路。内蒙古段各條支綫以供貨爲主，山西段若干支綫以運銷爲主。

《臨縣志》載：『清朝乾隆至民國年間，陝、甘、綏、蒙等地的物資，通過此航綫運達磧口，再用牲口馱運到離石、吴城，轉運至東路（汾、平、介、孝等縣）。據民國 20 年（1931）統計，每年從綏遠磴口航至磧口的貨船不下 4000 餘艘』『是陝、甘、綏、寧與晋西北物資集散之重鎮』。〔十七〕可見，内蒙古在甘肅、寧夏與陝西、山西等沿黄上下游物資交易中起到了重要的聯結作用；同時也吸引了山西、陝北、河北、山東、甘肅等地的農民遷移至此，并將開渠打壩、引水澆地等農業生産技術、手工技術和商業貿易經營方式帶到這裏。他們在此扎根，除了從事農業生産外，還挖甘草、下窑背炭、在黄河上拉船、在沙漠中拉駱駝、打短工放冬羊、開碾磨油坊，等等。不同地域、不同民族的人們合力修築河渠、引水興業，逐漸形成休戚與共的共同體。其間積纍的産品交易、商業管理、社會治理等方面的經驗，在今天依然有借鑒意義。

清代『首重治河，探河源以窮水患』〔十八〕，但更深層次的考量是『宣揚大一統及增强國家認同』〔十九〕。黄河流域人口基數大、分布廣，而全流域治理理念將不同地區、不同民族的人們凝聚成命運共同體，而『大一統』理念正是這一治理實踐的核心主題。

三、黄河流域拓展了中國的發展空間

早期統治者因巡幸及邊防建設所需，統籌管理沿黄河運與秦直道等沿黄馬道，維持着中央政府對北邊的有效治理。河套平原引黄渠道的建設爲秦漢王朝屯田事業提供了基本的水利保證，并將這些區域變成防禦北部邊患的大後方與根據地。于是，沿黄馬道、沿黄河運與萬里茶道、草原絲路等陸路運輸聯通起來，促進了中華文明與其他文明的交流互鑒，拓展了新的發展空間。

新中國成立之後，沿黄各族兒女在中國共産黨的領導下團結合作、艱苦奮鬥，實現了大河安瀾。黄河流域建立起行之有效的防洪抗汛機制，支撑着沿岸的産業發展，改善了周邊生態環境。當代治黄史證明，正是由于中國共産黨的正確領導以及集中力量辦大事的制度優勢，纔從根本上减輕了河患的威脅。進入新時代，黄河流域在築牢安瀾根基的同時，以蓬勃活力拓展着中國的發展空間。沿黄九省區在協同發展中不斷釋放潛力，讓黄河流域成爲國家區域協調發展戰略中不可或缺的重要一極，爲中國的發展源源不斷地注入新動能。

綜上所述，黄河流域的治理不是單純的河道治理、生態環境治理或社會治理，而是一種關涉水、沙、産、人四者關係的系統性、協同性治理，是推動國家可持續發展的動力，也是厘清國家治理與邊疆治理兩者動態交互實際效果的絶佳視角。而黄河工程等『中國本土理論資源、學術積纍』[二十]，有助于研究國家治理的演進歷程。進入新時代，黄河治理與國家治理的關係研究不斷開闢新視角、持續涌現新成果，其中鑄牢中華民族共同體意識、邊疆治理與黄河流域生態保護和高質量發展成爲非常重要的研究視角。因此，基于這一角度搜集整理黄河國家治理文獻，意義重大。《黄河國家治理文獻集成》，應運而生。

本叢書系統梳理了黄河治理的歷史脈絡與經驗，既爲新時代黄河流域生態保護和高質量發展提供了歷史鏡鑒，更以文獻爲載體，傳承了治理智慧、凝聚了民族力量，是服務國家發展戰略、鑄牢中華民族共同體意識的重要學術實踐。

《黄河國家治理文獻集成》編委會

二〇二五年一月

〔一〕韓建業：《中華文明的起源和形成》，載《中華民族共同體研究》2022年第4期，第80–91+172頁。

〔二〕中共中央馬克思恩格斯列寧斯大林著作編譯局：《馬克思恩格斯選集》第二卷，人民出版社，2014年，第240頁。

〔三〕嚴文明：《黄河流域文明的發祥與發展》，載《華夏考古》1997年第1期，第49–54+113頁。

〔四〕（漢）班固：《漢書》卷二十九「溝洫志第九」，中華書局，1964年，第1692頁。

〔五〕（漢）司馬遷：《史記》卷六「秦始皇本紀第六」，中華書局，1963年，第252頁。

〔六〕冀朝鼎：《中國歷史上的基本經濟區與水利事業的發展》，朱詩鰲譯，中國社會科學出版社，1981年，第7頁。

〔七〕（漢）司馬遷：《史記》卷二十八「封禪書第六」，中華書局，1963年，第1398-1399頁。

〔八〕（漢）司馬遷：《史記》卷三十「平準書第八」，中華書局，1963年，第1441頁。

〔九〕（漢）班固：《漢書》卷二十九「溝洫志第九」，中華書局，1964年，第1686頁。

〔十〕（漢）司馬遷：《史記》卷二十四「樂書第二」，中華書局，1963年，第1178頁。

〔十一〕（漢）司馬遷：《史記》卷三十「平準書第八」，中華書局，1963年，第1420-1421頁。

〔十二〕（清）方家駒修，（清）王文員纂：《汾陽縣志》卷十三「藝文」，清光緒十年刻本，第57-58頁。

〔十三〕王華棠、劉錫彤、吴樹德：《黄河中游調查報告》，華北水利委員會編印，1934年，第1頁。

〔十四〕（漢）司馬遷：《史記》卷十五「六國年表第三」，中華書局，1963年，第758頁。

〔十五〕王利器：《鹽鐵論校注》，中華書局，1992年，第28頁。

〔十六〕綏遠通志館：《綏遠通志稿》第十册，内蒙古人民出版社，2007年，第176頁。

〔十七〕臨縣志編纂委員會：《臨縣志》，海潮出版社，1994年，第273、321頁。

〔十八〕趙爾巽等：《清史稿》卷一二六「河渠一」，中華書局，1977年，第3715頁。

〔十九〕劉惠：《乾隆朝重構黄河河源的實踐與國家認同》，載《清華大學學報》（哲學社會科學版）2018年2期，第147-154+195頁。

〔二十〕許耀桐：《當代中國「治理」概念的演進探析》，載《國家現代化建設研究》2023年3期，第100-111頁。

出版前言

黄河，中華民族的母親河，她不僅孕育了中華文明，更見證了中華民族數千年的發展歷程。習近平總書記深刻指出：『從某種意義上講，中華民族治理黄河的歷史也是一部治國史。』這一重要論述，爲新時代黄河文化的保護傳承以及流域治理提供了根本遵循，也深刻揭示了黄河治理在國家發展和民族復興進程中的核心地位。在學習貫徹習近平新時代中國特色社會主義思想，積極響應國家黄河流域生態保護和高質量發展重大戰略，大力推進北疆文化建設的背景下，《黄河國家治理文獻集成》的編纂出版，具有重要的歷史意義、學術價值與現實指導意義。

黄河治理，自古以來就是國家的頭等大事。從遠古時期大禹治水，到當代運用科學技術進行系統治理，中華民族在數千年的時間裹，積纍了豐富的治河經驗，留下了浩如烟海的文獻遺産。《黄河國家治理文獻集成》收録了元代至民國時期古籍、朱批奏摺、期刊圖片等多模態文獻資源。這些文獻内容豐富、維度多元，既包含記載河工技術、治理方略等的專書，又有漢文朱批奏摺、工程檔案以及不同區域的調查研究報告等。民國時期的文獻則標志着現代水利科學開始融入黄河治理，展現了我國水利事業在時代變革中的創新與發展。近代照片的收録則以更加直觀的方式將黄河治理、黄河沿岸的風貌呈現給讀者。

該文獻的出版，不僅是對瀕危黄河文化遺産的及時搶救與保護，更是對我國水利史、國家治理史、邊疆治理研究學術鏈條的重要補充，具有較高的文獻價值和學術意義。尤爲重要的是，這一集成工作，深度契合鑄牢中華民族共同體意識這一全黨全國各族人民的共同任務。各民族在治理黄河的歷史進程中，緊密協作、共同探索，這些珍貴文獻便是各民族交往交流交融和中華文明認同的生動見證。對這些文獻進行整理出版，能够讓各族人民更加深刻地認識到，在歷史長河中，各民族共同爲黄河治理貢獻了力量，共同守護了家園，從而進一步增强對中華民族共同體的認同感與歸屬感，夯實鑄牢中華民族共同體意識的歷史根基。

《黄河國家治理文獻集成》以『國家治理』爲核心綫索，構建起一個全面、系統、多維的文獻體系：在時間跨度上，聚焦從元代至民國這一傳統治河向現代水利轉型的歷史時期，爲深入研究我國水利事業的發展脉絡提供了清晰的時間坐標；在内容分類上，細緻劃分爲技術專著、工程檔案、區域研究、朱批奏摺、科學報告、圖片等類别，涵蓋黄河治理的各個方面，從不同角度展現了我國在黄河治理上的探索與實踐；在版本選擇上，秉持嚴謹、科學的態度，確保文獻内容的準確性與代表性，爲學術研究奠定堅實基礎。

在編纂過程中，叢書特别注重『全流域治理』的理念，不僅收録了有關下游防洪治河的重要文獻，還涵蓋了中游地區水土保持以及上游地區灌溉開發等方面的珍貴記載。這種對黄河全流域治理的全方位關注，與當前『共同抓好大保護，協同推進大治理』的要求高度契合，充分體現了叢書在傳承歷史文化遺産的同時，緊密服務于當代國家發展戰略的時代價值。

在出版過程中，嚴格保持原書的版式與行款，最大程度地還原文獻原貌。對于部分出現黴變、殘缺的頁面，運用先進的數字化修復技術進行精心處理，在保留原始批注與印章痕迹的基礎上，兼顧了文物的真實性與文獻的可讀性。

此外，爲了更好地服務讀者，方便學術研究，本叢書新增了目録、提要等内容，這些新增部分由編委會精心撰寫。新增目録一般編製二級，個别圖書編製三級；原書有目録而内文無對應標題的，根據原書目録照録；原書目録爲關鍵詞或者其他情况的不編製目録；原書目録與内文不一致的，以原書内文爲準；原書無目録的，按卷端、版心或其他部分輯録；一册書中收録多種圖書的，以書名爲一級標題，編製二或三級。在文字使用上，統一使用現代漢語規範繁體字，對于原版文獻中的异體字、避諱字也使用現代規範繁體字，無對應規範繁體字的保留原字。

《黄河國家治理文獻集成》的出版，是對黄河文化遺産的一次系統性、搶救性保護，具有重大而深遠的現實意義：從學術價值層面來看，叢書成功構建起一座連接傳統與現代治黄文獻的橋梁，爲黄河流域生態保護、水利工程史、國家治理史、邊疆治理、中華民族共同體學等多個領域的學術研究提供了豐富、翔實的基礎文獻，有力推動了相關學科的發展與創新；從文化價值角度而言，生動展現了北疆文化與黄河文化在歷史長河中的交融共生，爲内蒙古『北疆文化』品牌建設提供了堅實的文獻支撑，進一步豐富了中華文化的内涵與外延；從實踐價值方面考量，書中所藴含的治河理念爲我們在新時代背景下實現人與自然和諧共生、推動黄河流域可持續發展提供了寶貴的歷史經驗與智慧啓示。

在此，我們要衷心感謝各藏書機構的大力支持，正是他們提供了珍貴底本資源，纔使得本叢書的編纂出版成爲可能。同時，我們也要向文化遺産智能應用服務中華民族共同體建設『英才與蒙』團隊致以崇高的敬意，他們歷經五年的辛勤耕耘，以嚴謹的治學態度和專業的學術素養，對文獻進行了系統的整理和輯録，爲叢書的内容質量提供了堅實保障。此外，我們還要特别感謝内蒙古自治區黨委宣傳部、内蒙古出版集團將本叢書納入『北疆文庫』重點項目，并在出版過程中給予全方位支持與幫助。

我們衷心期待，這套凝聚着無數心血與智慧的《黄河國家治理文獻集成》，能够在新時代的『黄河大合唱』中奏響歷史的强音，爲黄河流域生態保護和高質量發展注入强大的歷史動力，讓黄河文化在保護中傳承，在傳承中創新，在創新中不斷發展，綻放出更加絢爛的光彩。同時，希望這套叢書能够成爲促進各民族文化交流、鑄牢中華民族共同體意識的重要載體，助力各民族更加緊密地團結在一起，共同爲實現中華民族偉大復興的中國夢而努力奮鬥，讓中華民族共同體意識在黄河文化的滋養下，扎根于每一位中華兒女的心中，成爲推動中華民族不斷前進的强大精神力量。

提　要

《清代漢文朱批奏摺黄河治理資料輯録》共10册，收録清代康熙四十四年（1705）至咸豐三年（1853）關于黄河治理的漢文朱批奏摺1000件，以時間爲序編排，每篇奏摺均保留朱批痕迹，真實呈現了清代黄河治理的决策與執行過程。

所收録的奏摺内容包括工程實踐（如堤埽、堤壩與河道工程的修建和維護）、防汛體系（如水情監測、灾情預警與應急響應）、綜合管理（如河道管理、跨區域協調、物料與經費管理、漕運管理）、治河制度與管理機制、灾害影響及灾民撫恤等。

第一册收録康熙四十四年（1705）至雍正七年（1729）的100件奏摺。第二册收録雍正七年（1729）至乾隆二十年（1755）的120件奏摺。第三册收録乾隆二十年（1755）至乾隆三十八年（1773）的130件奏摺。第四册收録乾隆三十九年（1774）至乾隆四十六年（1781）的110件奏摺。第五册收録乾隆四十六年（1781）至乾隆五十二年（1787）的110件奏摺。第六册收録乾隆五十三年（1788）至清嘉慶六年（1801）的100件奏摺。第七册收録嘉慶六年（1801）至嘉慶二十二年（1817）的90件奏摺。第八册收録道光三年（1823）至道光十六年（1836）的60件奏摺。第九册收録道光十六年（1836）至道光二十五年（1845）的80件奏摺。第十册收録道光二十五年（1845）至咸豐三年（1853）的100件奏摺。

目録

件六七一　奏聞節交寒露黄河秋汛安瀾各工穩固仰祈聖鑒事　一

件六七二　奏爲回空漕船全數渡過黄河恭摺具奏　四

件六七三　奏爲前經奉准官兵一百名派往黄河迤南蒙古地方彈壓番衆今可否准令前往伏候訓示遵行謹奏請旨　七

件六七四　奏報豫東黄河凌汛工程穩固情形　一一

件六七五　奏聞臣順查黄河水勢并堤埽料物情形　一四

件六七六　奏聞立夏後黄河水勢旋長（漲）旋消工程平穩并漕船行走情形　一六

件六七七　奏爲黄河口淤淺糧船遲滯情形具奏　二〇

件六七八　奏爲夏至後黄河水勢驟漲酌啓閘壩宣泄各工搶護穩固情形恭摺奏聞　二四

件六七九　奏爲淅川縣屬荆紫關江水驟漲被衝土城民房現在飭府馳往督率勘撫緣由恭摺具陳　二八

件六八〇　奏爲江廣重船九十二幫全行挽出臨清及黄河口尾幫暢渡緣由　三三

件六八一　奏爲江西漕船在後渡過黄河所有九幫全數挽入直境仰祈聖鑒事　三六

件六八二　奏聞黄河水勢盛漲查勘兩岸工程搶護平穩情形　四〇

件六八三　奏聞派員把守黄河水橋以資防禦緣由　四四

件六八四　奏爲趕挑天然峰山二閘引河以備黄河盛漲時分泄等籌辦事恭奏　四七

件六八五　奏爲據實奏聞淮揚道屬黄河各廳大堤亟須培築以資捍衛事　五〇

件六八六　奏爲東省四女寺下游直境老黃河工段請照原估續挑緣由　五五
件六八七　奏爲遵例開單具奏高堰山盱揚河三廳屬臨湖石堤工程費用銀兩數目附件：奏黃河自交桃汛後
長（漲）水情形片　五九
件六八八　奏報黃河桃汛工程平穩并南糧頭進幫船全入東境行走順速情形　六〇
件六八九　奏爲誤違例限部議休致之藍翎侍衛黃河清情殷報效據情轉奏恭候聖裁事　六三
件六九〇　奏爲夏至後黃河水勢驟漲各工搶護平穩情形具奏　六七
件六九一　奏爲時交入伏洪澤湖水勢盛漲酌啓信字壩减泄并黃河各工搶護平穩情形具奏　七一
件六九二　奏爲黃河水勢驟長（漲）皋蘭縣沿河村莊猝被水灾現在先行撫恤勘辦具奏　七五
件六九三　奏報山東省四女寺支河下游及直境老黃河工段挑辦完竣事　七八
件六九四　奏報伏汛已過黃河水勢安瀾工程平穩事　八一
件六九五　奏爲查明運口磚工原建年分并現在趕辦各工及黃河水勢長（漲）落情形　八五
件六九六　奏報黃河水勢續長（漲）旋復消落各工搶護平穩并下游揚河高寶一帶啓壩分泄各情形　九一
件六九七　奏報節逾白露黃河各工平穩并攢堵千根旗杆缺口合龍穩固各情形　九六
件六九八　奏爲洪湖智壩合龍并節交寒露黃河水勢工程平穩河口趕辦各工情形　一〇一
件六九九　奏爲籌酌西寧黃河北岸鄂倫布拉克地方防河官兵請仍照舊安設以資彈壓仰祈聖鑒　一一〇
件七〇〇　奏爲查勘豫省南岸下游及東境黃河各廳工程穩固情形恭摺奏聞　一一三
件七〇一　奏爲節交霜降秋汛安瀾豫東黃河各工普慶平成恭摺奏聞　一一七
件七〇二　奏報查勘黃河口及高堰各工并順道查看淮揚運河兩岸堵辦各缺口之情形　一二一

件七〇三　字寄兩江總督鐵保等奉上諭運河收海口各工節次請帑興修迄無一勞永逸之策該督等應敬慎爲之
務令明歲重運不致遲誤及黄河兩岸不致有漫缺之患萬爲妥善　一二七
件七〇四　奏爲查辦廣興一案因黄河風狂雪大接遞限行四百里緊要之件遲逾三日請將延津縣知縣高崧敕部
照例議處以昭懲儆而肅郵政　一三〇
件七〇五　奏爲恭報接印任事日期并現在黄河運口大概情形仰祈聖鑒　一三三
件七〇六　奏聞運河水勢鋪灌充裕分委員弁催攢新漕并前赴黄河兩岸巡防桃汛各緣由　一三六
件七〇七　奏爲擇要增培豫省黄河兩岸卑薄堤工以資捍禦事　一三九
件七〇八　奏爲黄河水勢陡長（漲）南北兩岸工程平穩事　一四三
件七〇九　奏爲夏至節後黄河水勢驟漲各工修防平穩具奏　一四五
件七一〇　奏報黄沁各河水勢叠漲搶辦虞下汛埽工平穩并衡工大壩裏頭埽暫緩加廂事　一四八
件七一一　奏報勘查黄河兩岸各廳土埽工程并沁洛大河水勢續漲各工廂護平穩事　一五六
件七一二　奏覆籌議治理黄河經久之策　一六〇
件七一三　奏報黄河水勢盛漲各工搶護平穩　一六五
件七一四　奏報豫東黄河伏汛安瀾各工平穩　一六九
件七一五　奏爲黄河叠次接漲兩岸堤埽各工搶護平穩緣由恭摺具奏　一七二
件七一六　奏聞臣接奉諭旨前赴黄河查勘兩岸緣由　一七六
件七一七　奏報堵築山陽運河狀元墩壩工并趕挑下游河身剋日可竣黄河洪湖一律穩固各情形　一七九
件七一八　奏爲公同札商遵旨酌減西寧黄河北岸鄂倫布拉克地方防河官兵緣由　一八二

件七一九　奏爲恭報秋汛安瀾豫東黄河各工普慶平成事　一八五

件七二〇　奏爲遵旨查明嘉慶十二年揚徐各廳加培黄河堤工原奏與續奏清單不符緣由據實覆奏　一八八

件七二一　奏爲查勘豫省黄河伏汛水勢旋長（漲）旋消及南北兩岸各工平穩情形　一九四

件七二二　奏報秋分前後黄河南北兩岸各工俱已平穩并下北工程雖已穩定尚有應行籌辦事宜一俟大局妥竣即赴睢工　一九八

件七二三　奏報查閲江寧省標及浦口營官兵之情形　二〇二

件七二四　奏爲連日籌辦黄河北岸下北廳十一堡河溜頂衝圈注刷塌堤埽等大概情形　二〇六

件七二五　奏爲節届霜降豫省南北兩岸黄河各廳埽工保護平穩恭摺具奏　二一〇

件七二六　奏爲恭報接印任事日期　二一四

件七二七　奏聞節交長至防護黄河凌汛工程務臻平穩緣由　二一八

件七二八　奏呈豫東兩省黄河北岸各廳十八年另案埽工入水丈尺及動用銀兩之清單　二二三

件七二九　奏報巡訪察看黄河水勢下注情形　二二五

件七三〇　奏呈黄河北岸糧河曹考二廳幫築堤壩鑲做防風單長土方銀數清單請御覽　二二七

件七三一　奏爲黄河流行全歸正河湖水匯入黄河下注暢行入海情形據實奏聞　二三一

件七三二　奏爲查勘黄河南北岸各廳河勢工程情形并嚴催料物酌籌幹練人員巡防汛務具奏　二三五

件七三三　奏爲遵旨查明各鎮營汛防控制情形酌擬裁兵數目　二四〇

件七三四　奏報查核豫省黄河南北兩岸各廳上年搶辦土埽工程段落高寬長丈土方銀數　二四九

件七三五　奏報南糧重運全入瓜口攢過揚關日期及押尾赴淮督催迅速埽數渡黄緣由　二五三

件七三六　奏聞黄河長（漲）水旋消豫省上南歸河兩廳搶鑲埽段穩固并預籌料物分派員弁以資應手各緣由　二六三
件七三七　奏報查勘東省黄河漕糧兩廳并豫省南岸下游各廳河勢工程平穩情形　二六七
件七三八　奏報黄河北岸河勢工程平穩情形　二七一
件七三九　奏報黄河伏汛安瀾　二七四
件七四〇　奏報運河水平堤固并嚴催江廣重運攢趕北上及黄河伏汛長（漲）水已消工程平穩事　二七七
件七四一　奏報交秋後黄河水工平穩事　二八三
件七四二　奏報處暑前黄河水勢昇漲各廳工程險要現在搶護平穩事　二八六
件七四三　奏報立秋後黄河水勢盛漲各工修防平穩事　二九二
件七四四　奏報黄河漲水漸消各廳鑲築土埽工程一律平穩　二九八
件七四五　奏謝恩賜食品　三〇三
件七四六　奏報白露後黄水復漲各處搶辦平穩事　三〇七
件七四七　奏爲恭報伏汛安瀾并查勘黄河北岸河勢工程平穩情形　三一二
件七四八　奏報黄河各鑲護平穩由　三一六
件七四九　奏爲巡閱黄河北岸蒙古卡倫祭海會盟及補行查勘各旗游牧情形　三二〇
件七五〇　奏爲黄河工程采用碎石酌定方價以便循照發辦造報核銷事　三二三
件七五一　奏報霜降後黄河水勢安瀾情形　三二四
件七五二　奏爲西寧黄河北岸水結照舊派撥防兵緣由具奏　三二七
件七五三　奏報時届凌汛黄河各廳工程平穩情形　三三〇

件七五四　奏報豫東黄河淩汛安瀾各工穩固并兩岸各廳歲料全完及接辦添備料垛成數　三三三
件七五五　奏報本年重運首幫渡黄河之日期　三三五
件七五六　奏報豫省黄河南北兩岸河廳工程動撥銀兩數目　三三七
件七五七　奏報處暑節後黄河水勢消長（漲）情形　三四〇
件七五八　奏報核估豫東黄河南北兩岸各廳工堤壩請酌加津貼事　三四四
件七五九　奏請仍于西寧黄河北岸安設防兵以資捍衛由　三四七
件七六〇　奏報河南省黄河南岸修辦土埽各工銀數　三四九
後記　三五三

六七一

奏

奴才王東翰跪

奏爲節交寒露黄河秋汛安瀾各工穩固仰祈

聖鑒事竊查交秋以後黄沁兩河水勢長消各工平

穩情形前於遵

旨祀謝

河神摺内具

奏在案秋水溜急沙湧堤埽最易沖刷防守尤當

嚴密奴才督同各道廳營及文武員弁日夜在

工巡查不敢一刻稍懈嗣據武陟縣呈報沁河

於七月二十八日陡長水三尺四寸並據各廳

禀報七月二十八九及八月初四五等日水長

一尺三四寸至一尺八九寸不等旋即消落隨

時督同各道查勘得上北河廳屬之祥符魁星
樓戧挑等壩下北河廳屬之銅瓦廂蘭儀廳屬
之儀封汛五堡二壩並魚鱗三壩下南河廳屬
之黑堽上南河廳屬之鄭州汛十一堡挑壩前
於伏汛内
奏報加廂埽段令秋水雖長而埽段均堅實足恃
其餘兩岸各廳緊要工程亦俱保護安穩兹節
屆寒露秋水歸槽河流循軌下注極爲暢順此
皆仰賴
聖主洪福
河神黙佑各工均極平穩官民感慶異常所有各廳
應備來年歲料現已按照工程之平險核計應
辦之多寡酌定數目咨會撫臣顔檢行知藩司
照例發項採辦依限運工聽候查驗其各汛堆
積土牛俱屬高大整齊可爲有備無患之道撫
臣顔檢於七月三十日抵工奴才告知河工利
弊及兢辦稭料便於開銷容積土牛實可禦漫
等情撫臣亦頗以爲然東省屋家民堰漫口業

經委派之運河道策丹率同守備孫吉仁州判
李大業等堵築合龍回空船隻已於七月二十
九日挽入臨清河口現在陸續南下屢經飛飭
各汛閘官並武職大員沿途妥速催儹以期不
悞開兑奴才於巡查兩岸及東省曹糧二廳工
料事竣約九月上旬內迴濟即赴運河經理一
切合並陳明所有黄河秋汛安瀾各工穩固情
形理合恭摺具
奏上慰
聖懐伏乞
皇上睿鑒謹
奏

另有旨

嘉慶六年八月　二十一　日

奏

臣費淳臣吴璥跪

奏為回空漕船全數渡黃恭摺奏

聞事竊照本年回空漕船因北河水大耽遲上廑

宸衷疊蒙

睿訓籌催臣等欽遵督率各道將文武員弁分投上

下加緊催儹並經漕臣鐵保親押各幫先於東

境閘河設法籌催得以銜尾出閘迨入江南境

後邳宿運河水勢充裕船行益加迅速臣吴璥

在河口一帶親督沿河各官照料渡黃及經過

運口各閘壩均極平穩遄行臣鐵保在淮城上

下督催不任片刻停滯查本年全漕回空應渡

黃船九十八幫計四千四百九十六隻船多期

促深虞遲悞令自八月二十一日頭幫入江境
起於十月二十三日已全數渡黄南下計頭幫
入境日期較上年遲至三十八日而尾幫渡黄
日期較上年僅遲十五日不但無虞阻凍並可
不悞運河挑工臣等現仍督飭文武各員一面
於淮揚運河及江口一帶押儹各幫船迅速出
江歸次一面將邳宿運河各段古淺處所並駱
馬湖上通沂水來源及淺水入運各引河應行
疏浚之處逐細測量確實估計一俟東省閘河
煞壩後水勢消涸即確按停淤之厚薄分别挑
浚以備來春重運其徒陽運河亦即飭催尅日
興挑務令帑不虛糜而新漕順暢以仰副
聖主利運速漕之至意至河口之東清禦黄兩壩及
洪澤湖各引河内束水壩俱已堵築如式現存
湖水充裕足敷明春敵黄濟運之用其黄河大
汛時啓洩漲水之峯山二三兩閘蘇家山水線
河均早經堵閉黄水更得全力刷沙自交霜降
後河水旋長旋消工程一律平穩所有回空漕

船全數渡黃及收蓄湖水堵閉閘壩緣由謹會
同漕運總督臣鐵保合詞恭摺具奏仰慰
聖懷伏乞
皇上睿鑒謹
奏

欣慰覽之即有旨

嘉慶六年十月 二十四 日

奏

努台布跪

奏爲恭摺奏

聞請

旨事竊查努於七月間帶兵驅逐黄河迤南蒙古地

方佔住番帳因蒙古將卡外無用之地借給番

衆住牧番衆許以預備烏拉幫同防守卡倫蒙

古懇求官兵百名會同安設卡倫等因具

奏欽奉

諭旨只僅准亦洛合等四族居住卡外其餘逐出之

番衆不准撤回至所請漢兵一百名准設一年欽

此遂知照各蒙古王公欽遵在案努復思不准

各番衆在卡外居住誠恐各番愚頑性復兇悍

其百名官兵不足彈壓奴才復謹將黃河南北番
子蒙古情形據實詳細奏
聞並請勘定何山何水分爲界址其奉
准百名官兵是否停止出自
聖裁等因具
奏欽奉
諭旨內惟云勘定卡倫地方畫定界址不准番衆擅
入蒙古擅出所見尚是等因欽此此項官兵是否
停止未蒙
訓示當經檄飭貴德廳差派衙役同尖木贊會同王
納漢達爾濟並洛卜藏達什查明番衆偕居地
方山名河名界址呈報俟報到日繪圖貼說另行奏
聞外風聞循化屬果爾的　江什加　什加弄等族
番子又有糾衆過河搶刼之信奴才聞信即一面
飛飭河南河北蒙古扎薩克卡倫嚴密防禦一
面檄行循化貴德文武設法善爲彈壓並繕番
諭差尖木贊等嚴切曉諭各族番子安靜游牧
勿再爲匪滋事又據貴德廳營稟報聞得循化

屬沙卜浪科叉等族番子亦有商量糾衆過河
搶刼之信尖木贊等揚言你們若行搶掠即到
城請兵嚴拿之語該番等稍知畏懼但須妥設
卡倫方能妥善今蒙古兵丁及番子兵丁俱已
派齊惟俟官兵一到即可上卡此際正氷橋結
凍吃緊之時伏乞迅賜妥設等情又據報稱番
目南拉本情願先撥人夫防守嗣後各番聞風
自必湊派人夫幫同防範職等即就近派民兵
卒名請借號褂六十件帳房十頂以壯聲威等
因前來奴才伏思
聖諭内該處設立辦事大臣爲保護蒙古起見等因仰見
皇上撫綏蒙古安輯番衆期於共享昇平之至意竊
查今既風聞番衆又欲糾衆搶刼之信奴才雖已
檄飭循貴兩廳營妥辦並派通事傳諭番蒙防
範但不遣官兵不足彈壓蒙古既俟官兵到時
上卡是無官兵蒙古不能自振仍屬於事無益
今貴德番衆情願上卡防範既能防野番肆行
又能衛護官兵尚可放心姜有望等先由貴德

派撥民兵六十名前往甚屬妥協奴才即向署鎮保清借取號衣帳房先令民兵赴卡外其前經奉准官兵一百名可否准令前往彈壓伏候訓示遵行謹

奏請

旨

另有旨

嘉慶六年十一月　十九　日

六七四

奏

奴才王東輯跪

奏爲豫東黄河凌汛工程穩固仰祈

聖鑒事竊查臨黄埽壩各工每當冬九凌汛之期俱

令咨掛樁板以資防護奴才先經遵例札飭各

道廳營一體遵辦去後兹據禀報凡迎溜埽灣

各埽壩俱經多用樁板攬護並備鐵鋉榔頭等

件遇有氷凌聚集處所立時敲碎俾其順流而

下即來歲春融上游氷泮亦可暢注無阻現在

南北兩岸各工俱極穩固其各州縣承辦歲料

源源運交工所隨到隨收現已堆有成數奴才

復委幼力委員前赴各工監催統俟明年二月

親赴各工查點兼防桃汛所有凌汛各工穩固

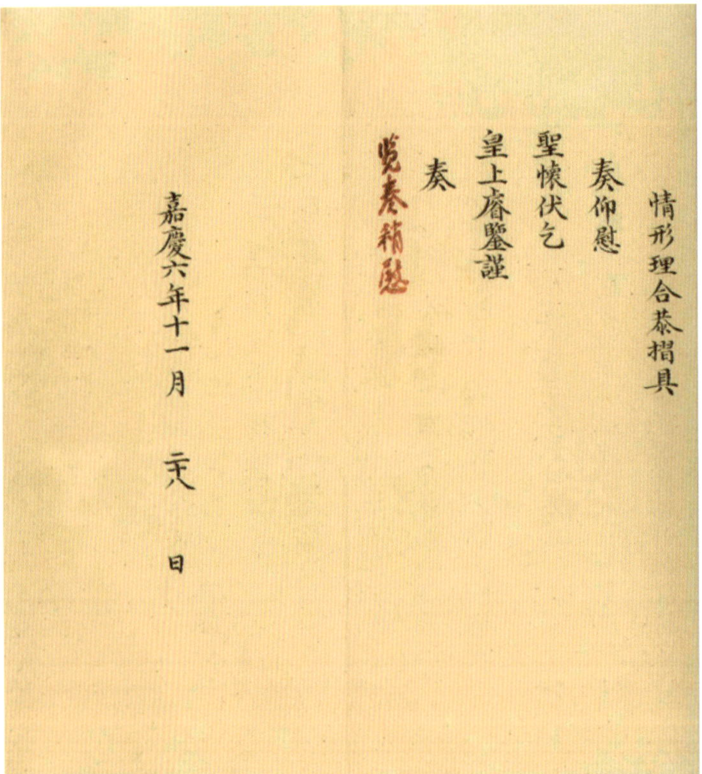
情形理合恭摺具

奏仰慰

聖懷伏乞

皇上睿鑒謹

奏

覽奏稍慰

嘉慶六年十一月　二十八　日

再謹

奏者前接准湖廣總督臣吳熊光咨開附

奏山東河標兵丁二百四十餘名於元二兩年先後調派來楚節年除隨征傷病陸續遣發外爲數無幾且多患病者應飭令原帶將備帶回各本營歸伍以䘏勞兵而節糜費於十月二十四

日欽奉

硃批所辦俱是欽此並據左營叅將周龍章呈報河標隨征官兵二百五十二員名於十一月二十八日到濟等情除飭河標各營查明分別收伍操練外理合附片

奏明伏乞

聖鑒謹

奏

覽

六七五

奏

山東巡撫臣和寧跪

奏為順查黃河水勢並堤埽料物情形仰祈

聖鑒事竊查東省所轄黃河自豫省考城縣入境至

江南碭山縣出境首尾曹單計長二百餘里一

切堤埽工程儲備料物在在均關緊要臣因查

閱營伍前赴曹郡路由曹單二邑循堤細加勘

驗土牛齊容料垛充盈河水雖居桃汛之期溜

勢却甚平穩其糧河廳屬之曹工二壩業經培

築堅厚現在溜走中洪去北岸一二里不等其

曹河廳屬之六堡迎黃各埽險工鑲築亦極完

固此二處均屬可保無虞惟查六堡埽工之尾

迤西名魏家埠乃黃河大溜自南而北頂衝要

地由彼折轉東行當即靠堤探量水深三丈有
餘是該處最為着重似應迎面帮做埽工並從
堤背後用土接寬增築一如黄奶奶廟地方形
勢庶免伏秋兩汛再費周章臣本不諳河工但
既有所見不能膜視不言已札飭兗沂道錦格
親加查勘應否加埽增築據實詳報河臣聽其
籌畫辦理所有臣順查黄河水勢併堤埽物料
情形理合恭摺具
奏伏乞
皇上睿鑒謹
奏

知道了

嘉慶七年三月初六日

六七六

奏

江南河道總督臣吳璥跪

奏爲立夏後黃河水勢旋長旋消工程平穩並漕

船行走情形恭摺奏

聞仰祈

聖鑒事竊臣奏報桃汛平穩情形摺回奏到

硃批欣慰覽之益加敬慎以迓

神禧欽此臣跪誦之下感激敬悚莫可言喻伏查三

月下旬以後各工長水數寸及尺餘不等旋即

消落溜勢平順工程悉屬穩固茲已節逾立夏

暑雨將臨正須加謹防範臣率同道將等周流

查勘預爲悉心籌酌查毛城鋪天然閘等處上

年堅守未放使黃水全力攻沙河身得以刷滌

加深著有成效今年大汛時自應得守且守仍
不便輕議啟放惟徐城北門一帶河面本窄逼
近城垣無可展拓盛漲時不得不籌分洩之路
以免著重查徐城迤上北岸之大谷山地方舊
有碎石滚壩一座水大則漫壩而過水落則自
然斷流係減洩盛漲之水俾由水線河分注邳
宿運河節宣有制最為良法上年督臣費淳在
工時臣公同察看該處壩身尚覺稍窄每遇過
水盛大易致冲掣應行帮寬現已確估加砌一
律寬厚堅固至該壩減下之水一由河清閘下
之靳家河入運一由河成閘下之潘家河入運
其靳家河入運之處形勢横截倘運河清水力
弱易致停淤礙運必須於該河分支處築埽壩
攔截並於壩之上下添築土堰攔束俾水勢全
由潘家河下注則有濟運之益而無停沙之患
核計所費錢糧無多而漕運河防實兩有裨益
亦已遴員妥為價辦現在邳宿運河水勢尚𣪠
浮送截至四月十五日據報催出江境漕船六

十三幫計船三千二百零六隻在後江廣幫船
喫水較重臣飭令將王家溝盧口壩等處啟放
使駱馬湖之水入運接濟以期迅速挽入東境
其淮安以南之瓜洲江口揚州城外一帶縴道
年久卑矮殘缺該處為漕運經由要路今春確
估修築完固重運縴挽較易江西幫船現已全
數抵淮惟洪澤湖水因春雨較少上游淮水來
源甚弱河口清黃交匯處漕船渡黃稍覺艱澀
必須量為起撥臣督同道廳等一面設法疏濬
並添築小草壩逼溜刷沙一面調集撥船起撥
儹渡漕臣鐵保節節派員督催務令赶緊穩渡
不敢稍任耽遲所有立夏後水勢工程及漕船
行走情形理合繕摺具
奏伏乞
皇上睿鑒謹
奏

覽奏稍慰去歲甘省被旱所以河慶安瀾
應澟
天道周流不息益加敬慎勉之

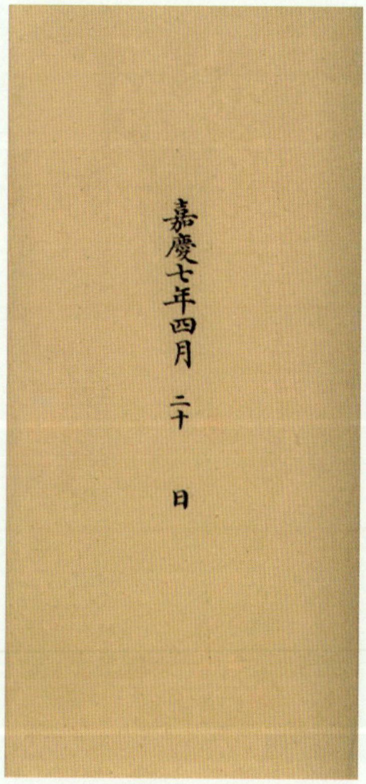

嘉慶七年四月　二十　日

奏

臣鐵保臣吴璥臣多隆武跪

奏爲黄河口淤淺糧船遲滯情形恭摺具

奏仰祈

聖鑒事竊查本年糧船共一百零一幫前因在後之

江西九幫河口淤淺不能催渡當將已渡之九

十二幫催令赶緊赴通並臣鐵保先往前途閘

壩處所督催等情

奏明在案臣鐵保於具奏後仍駐河口數日與河

臣設法催渡竭盡人力冀得再過數幫以期妥

速無奈數日以來仍復風燥無雨清水未增黄

水更落臣等在清黄交滙一帶與淮揚道和騰

額乘坐小舟晝夜籌勘親督將備廳汛等率領

弁目兵夫並幫丁水手多人一面築壩逼溜一
面用混江龍鐵篦子往來梳爬兼用兵夫推挽
凡人力所能辦者無不辦到而河口一帶此通
彼塞總不能得力應手各船竟多淺滯因復與
熟悉情形之道將各員悉心籌畫計惟有循照
舊章啟放王營減壩減洩黄水使清水暢出庶
得刷深河淤糧船可行而現在湖水勢弱恐急
切亦難奏效若静聽水長又遲早難定伏查乾
隆五十年五十一年糧船淺阻俱有成案但從
前截至六月中未渡黄者尚有二十九幫未出
江境者尚有七十一幫彼時漕臣自不得不在
後督催兹查本年一百零一幫已渡黄之九十
餘幫業已將次全入東境所剩不及十分之一
與從前情形不同即使此九幫不能依限抵通
尚可於臨清天津一帶設法辦理不悞回空於
全局似尚無礙刻下已渡多幫去河口甚遠誠
恐無人督押到壩遲緩回空亦不能迅速所關
殊重臣等通盤計算自不便因後九幫遲逾轉

致前九十餘幫是稍有阻滯自應權其輕重多寡
先務為急臣鐵保當即與臣多隆武面商遵照
前奏先赴前途閘壩緊要處所是督催臣多隆武
暫駐河口與臣吳璥竭力催儹在後九幫俟尾
幫渡竣即率同糧道押運各廳飛挽前進並會
同東漕臣梁上國前後督押照去年東漕五德
之例直押尾幫抵津後回京覆
命以昭慎重再查在後九幫約須八月初間始能抵
津彼時臣鐵保已可就近馳赴該幫籌辦回空
事務兩不致悞所有現在河口淺阻並臣等斟
酌辦理情形謹合詞據實具
奏伏乞
皇上聖鑒謹
奏
另有旨

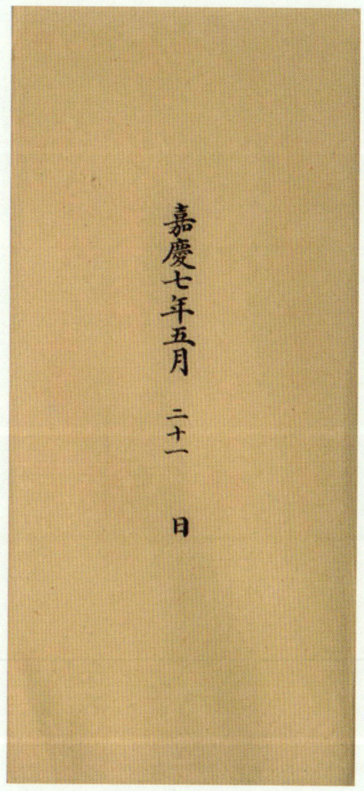
嘉慶七年五月二十一日

六七八

奏

江南河道總督臣吴璥跪

奏為夏至後黃河水勢驟漲酌啟閘壩宣洩各工

搶護穩固情形恭摺奏

聞仰祈

聖鑒事竊照立夏後水勢工程情形經臣恭摺具

奏欽奉

硃批覽奏稍慰去歲甘省被旱所以河慶安瀾應凛

天道周流不息益加敬慎勉之欽此臣跪讀之下仰見

聖慈洞燭盈虛之理

誥誡提撕無微不至欽感凛惕莫可名言伏查江境

沿河淮徐兩府屬地方冬春雨雪較少迨五月

二十三日節交夏至後大雨時行五月二十六

七八九三十等日連宵達旦勢甚滂沱接據河
南陝州馳報萬錦灘黄河於五月二十四日陡
長水三尺二寸洛河並報長水二尺是上游亦
必雨大水增一併下注江境查自豐蕭銅沛以
下黄河各廳於五月二十六七至六月初一二
等日長水四尺餘寸至六尺四五寸不等出槽
漫灘勢頗浩瀚截至六月初二日徐城北門誌
樁長至一丈八尺比上年此日較大四尺有餘
較上年盛漲之日則僅小七寸外河廳屬順黄
壩誌樁長至二丈一尺九寸較上年盛漲尚大
二寸時未入伏而漲水即如此之大實為從來
所未有益仰
聖主智炳先機倍深欽服所有各廳臨黄緊要工程
先經臣分派道將文武各官並候補人員節節
按段駐防臣往來督率策應凡埽段平墊之處
即立時搶廂穩固臣與道將等悉心籌酌伏前
長水即如此之大將來伏秋為日方長水勢之
大小更難預定必須早籌宣洩之路騰空河面

以為容納地步各閘壩未便拘泥堅守當飭將
睢南廳境之峯山二三兩閘銅沛北岸之蘇家
山石閘次第啟放以資分減其上游之毛城鋪
天然閘兩處仍慎守不令輕啟留俟將來察看
伏秋水勢之大小再為相機酌辦此次長水既
大且驟溜勢奔騰遷移不定睢南廳屬之王汛
趙家馬路戴汛二堡迤上之沈家莊及宿虹廳
屬洋汛趙家莊桃南廳屬烟墩汛之陸家房地
方均因河勢側注刷塌堤身大溜湧激勢甚吃
緊當飭各該道將廳營等漏夜搶廂埽段抵禦
幸保無虞臣勘查戴汛二堡迤上沈家莊新生
工段溜勢更大尤為着重現在帮寬壩臺之外
復赶築越堤以資重障其餘各工並飭添備料
物加謹防守務期一律鞏固兹於六月初六日
以後天氣晴霽河水漸見消動工程已俱平穩
臣經此次驟漲服膺
睿訓倍增凜惕督臣費淳現由江防揚糧揚河各廳
挨查工料前來日內即可行抵清江工次臣惟

有會同實力籌辦刻刻小心敬畏處處防範周

密務俾伏秋大汛工固瀾安以仰副

恩訓諄詳之至意除將洪澤湖清水加長並江西尾

後幫船儹渡情形會同巡漕臣多隆武另摺具

奏外所有夏至後黃河水勢驟漲酌啟閘壩宣洩

各工搶護平穩緣由理合恭摺奏

聞伏乞

皇上睿鑒謹

奏

敬慰之餘益深乾惕另有旨

嘉慶七年六月　十三　日

六七九

奏

河南巡撫臣馬慧裕跪

奏為淅川縣屬荆紫關江水驟漲被冲土城民房
現在飭府馳往督率勘撫緣由恭摺奏
聞事本年六月初七八及十一二等日據淅川縣知
縣陶象炳南陽府同知德祿荆紫關守備閆泰
鳳南陽府知府馬維騏先後禀報五月二十五
日以後連日大雨丹江水勢陡漲荆紫關土城
緊靠丹江二十六七等日西面臨江城垣被水
冲塌民房亦有坍壞六月初二日江水復漲仍
由缺處刷進城墻民舍續有坍塌經該縣陶象
炳馳往會同德祿閆泰鳳周歷查勘該處原建
土城四面各長五十四丈西面城墻盡行冲坍

南城墻坍去十餘丈北城墻坍去二十餘丈城
關内外舖房民舍共坍塌三百餘間幸事在白
日人口並無損傷糧臺存貯軍火軍裝等件先
經擇地安置亦無淹損現在水已消退田禾均
無妨碍其貧之民户經該縣捐貲先令搭棚棲
止并分給饘餅以資餬口民情現皆寧貼等情

查荆紫關地方江水暴漲猝被冲淹雖據報人
口幸無損傷而廬舍貲財驟遭漂蕩亟應妥實
勘辦當即飛飭南陽府知府馬維馭星馳前往
督同該廳縣守備等再行詳細勘查寔在坍損
房屋確數分别有力無力照例給與修費量為
撫䘏俾各得所並確查沿江田禾是否寔無妨
碍上下游鄰境有無被淹為患據寔飛報斧仍
隨時體察妥為經理以期仰副
聖主痌瘝在抱不使一夫失所至意至荆紫關土城
查係雍正二年動支耗羨等銀興建乾隆四十
三四等年先後被水冲刷經該前縣捐廉修築
五十四年復經司道府縣公捐增築石墹以資

抵禦查該處人烟稠密且係新設副將駐劄重
地現因丹江日益東趨以致西面城垣全行塌
卸幷坍及南北兩面若仍循舊址興修不惟加
填增築工役倍繁而每年江流泛漲不常殊難
經久現據該縣附稟該處商民公議城東二里
之土地廟山下地勢高廣擬就近移建為一勞
永逸之計除行藩司併飭該府相度形勢體察
輿情妥議具詳另行
奏明辦理外所有荊紫關被水現飭勘辦緣由理
合恭摺奏
聞伏乞
皇上睿鑒謹
奏
另有旨

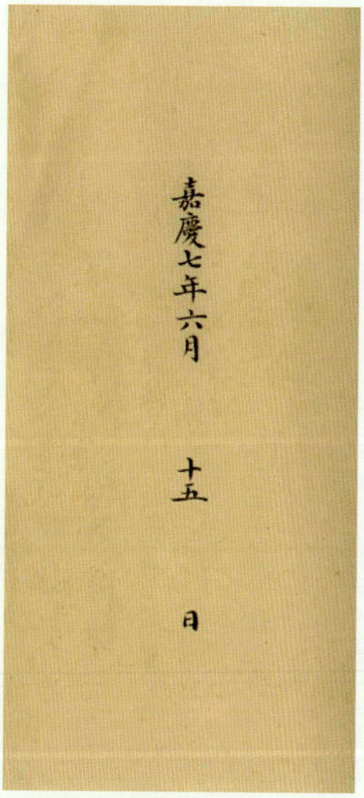

嘉慶七年六月　十五　日

奴才馬慧裕跪
奏再黃河南北兩岸堤埽工程奴才抵任後諄飭各
道廳等實力經理並准河臣王秉韜咨會一體
督飭防護嗣據各廳汛官弁陸續稟報六月初
二日以後河水陡長四五尺不等而上北河祥
符汛十二堡四五兩壩因大溜頂沖勢甚汹湧
以致附近壩埽先後蟄連塌蟄當經奴才就近飛
飭河北道羅正墀董率廳營趕緊搶護河臣聞
報亦即馳抵工次督同搶廂追壓現在水勢消
落溜亦漸緩業已保護無虞其餘堤埽各工一
律平穩時屆伏汛防範倍宜周密除會同河臣
嚴飭各河員隨時加意巡防不容稍有疏懈外
理合附摺奏
聞謹
奏

倍加敬慎不可稍有怠緩

六八〇

奏

漕運總督臣鐵保跪

奏爲江廣重船九十二幫全行挽出臨清及黃河

口尾幫暢渡緣由仰祈

聖鑒事竊臣前因黃河口門倒灌節次會同河臣吳

璥巡漕臣多隆武將分投催辦情形私摺具

奏在案臣督押先經渡黃之江廣船隻趕緊前進

正值大雨時行山水陡發十字河一帶沙停淤

淺經臣商同東漕臣梁上國兖州鎮臣博奇上

下籌催挖剔兼施船行尚俱順利茲於六月二

十三日將江廣在前十一幫連江浙各船共九

十二幫全行儹出臨清閘河查湖廣糧道已遵

例自臨清回本省辦理新漕前途並無大員督

儹臣仍押催先進俾免遲滯至殿後數幫接據
河臣吳璥札稱已於六月十六日全數渡黄並
錄奉前次會奏
諭旨到臣恭閲之下仰見
皇上慎重漕河預籌教戒至意莫名欽感伏查河口
各幫現有巡漕臣多隆武在彼押催刻下長河
水勢充足計八月内總可抵壩不悞回空臣復
專差守備李仁率同千總往南迎提並札知東
漕臣梁上國駐催緊要處所遵照前
奏押送天津以期迅速至南糧回空幫船業已陸
續挽抵臨清臣即飭令相機入閘南下如遇在
後重船再行停讓不必拘泥守候致悞回空臣
謹恭摺具
奏伏乞
皇上睿鑒謹
奏
覽奏稍慰

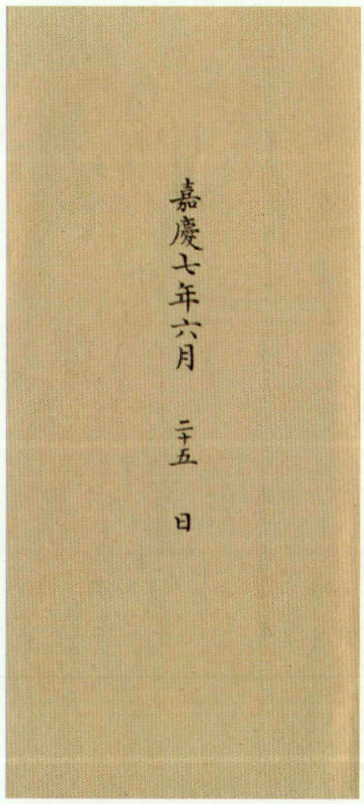

嘉慶七年六月　二十五　日

六八一

奏

天津鎮總兵奴才福會跪

奏為江西在後渡黃九幫全數挽入直境仰祈

聖鑒事竊奴才在南運河督催入境頭二三進糧船

截至江西第五幫共入直九十二幫於七月初

七日全數催過津關北上其在後渡黃尚有九

幫阻淺未跟業經漕臣鐵保巡漕臣濟蘭與奴才

會摺具

奏在案奴才一面差探後幫出閘之信以備嚴督

接催並乘河道空閒於南運河將回空各幫加

緊催趲迅速南下截至八月初三日回空現過

津關六十五幫已出直境五十四幫茲江西九

幫已全數出閘前來奴才即在安陵首境接催

查九幫之頭船係撫州幫於七月二十五日挽入直境其後八幫俱跟接行走經巡漕臣多隆武臣梁上國前後親押趲運今尾後之安福幫於八月初四日全數挽入安陵汛境奴才隨會同巡漕臣多隆武臣梁上國督率沿河員弁並按幫加派弁兵專押上緊嚴催晝夜兼程行走

此時南運河水勢充足各幫連檣遄行毫無阻滯之處約於八月初八九日可過津關務期於八月二十前後全行催抵通壩尚不致有悮回空所有南糧尾幫全數挽入直境日期理合恭

摺奏

聞伏乞

皇上睿鑒謹

奏

知道了

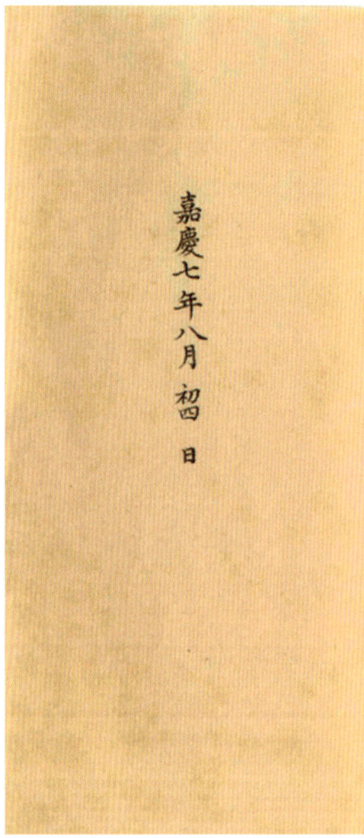
嘉慶七年八月初四日

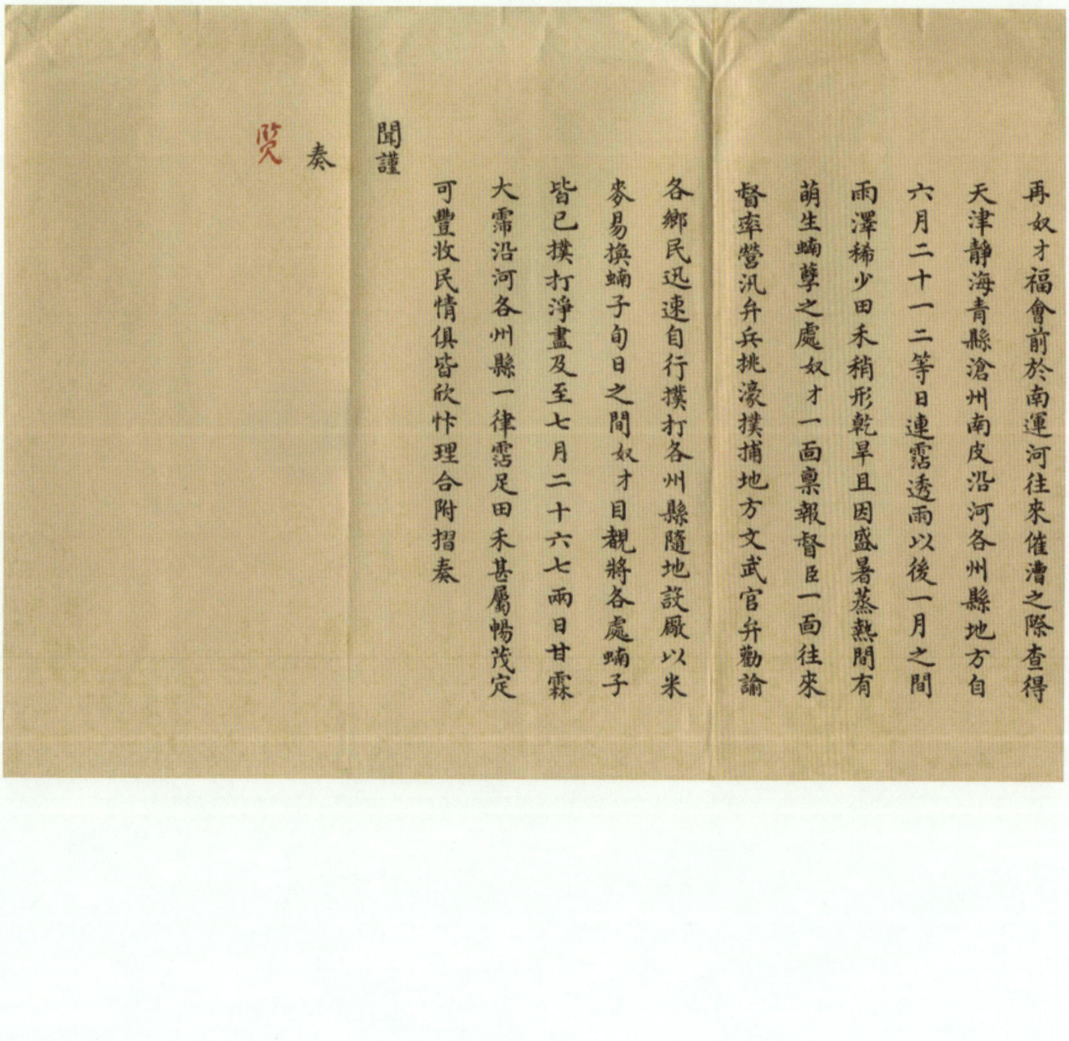
再奴才福會前於南運河往來催漕之際查得
天津靜海青縣滄州南皮沿河各州縣地方自
六月二十一二等日連霑透雨以後一月之間
雨澤稀少田禾稍形乾旱且因盛暑蒸熱間有
萌生蝻孽之處奴才一面稟報督臣一面往來
督率營汛弁兵挑濠撲捕地方文武官弁勸諭
各鄉民迅速自行撲打各州縣隨地設廠以米
麥易換蝻子旬日之間奴才目覩將各處蝻子
皆已撲打淨盡及至七月二十六七兩日甘霖
大霈沿河各州縣一律霑足田禾甚屬暢茂定
可豐收民情俱皆欣忭理合附摺奏
聞謹
奏
覽

奏

署河東河道總督臣嵇承志跪

奏為黃河水勢盛漲查勘兩岸工程搶護平穩情形仰祈

聖鑒事竊臣於八月三十日將馳抵蘭陽廟工接印日期及上游陝州呈報萬錦灘水長查詢各工鑲護平穩緣由恭摺具

奏在案臣拜摺後復據陝州呈報萬錦灘於八月二十八日又長水三尺三寸連前三日內共長水六尺八寸並據黃河各廳先後稟報各長水四五六尺出槽漫灘抵至堤根深二三四五六尺不等迎溜埽工多有蟄塌在在喫緊等情臣一面飛飭道廳文武各官設法防護務保無虞

一面即由廟工馳赴南北兩岸查勘各廳要工
埽壩多有水上埽面大溜撞掣勢甚危險臣即
親督廳營員弁擇要竭力搶鑲並經開歸道彭
如幹河北道羅正墀各帶幹員分赴各廳率同
搶護其中最險之處如北岸上北廳屬之祥符
汛十二堡三壩舊埽四段前因溜勢上提直趨
該壩致將舊埽塌盡於臣未到之先即經補鑲
新埽茲值水長溜湧復見刷蟄並逼上汕刷壩
坦岌岌堪虞又封邱十四堡原做挑壩四道因
河勢北徙逼溜趨刷將壩唇塌傷前月已經鑲
做新埽茲復溜勢上提滙塌迤西壩坦臣督令
加壓新埽復於滙塌處分投搶做護埽隨蟄隨
鑲晝夜不遺餘力克臻平穩此外如曹考廳屬
之蘭陽大壩南岸上南廳屬之鄭州汛十堡蘭
儀廳屬之蘭陽汛十二堡儀睢廳屬之睢汛五
堡各工或埽壩蟄塌或溜刷堤身以及無埽處
所間有滲漏臣督同道廳等分投搶鑲並於漫
灘刷堤之處搶做柳草防風及加土夯築星夜

趕辦幸供穩固伏查今年黃河底水本大伏秋
以來寧夏陝州沁河又疊報長水至二十次加
以雨水會集以致浩瀚汪洋僉云為十餘年來
未有之盛漲各廳險要之工處處着重臣目擊
情形心胆戰慄所幸近日天氣晴霽新料登場
購運尚易人夫亦甚應手得以盡力搶辦此實
仰賴
聖主洪福
河神默佑竟得化險為平通工慶幸歡忭異常臣
鉅任驟膺受
恩深重焦思早夜祇切悚惶現在河水自九月初三
日起至初六日已漸消四尺餘寸但距霜降尚
有二十餘日臣惟有恪遵
恩訓勉益加勉仍督率文武各官加謹廵防時存敬
畏務期畢固平寧以仰副我
皇上廑念河防保衛民生之至意所有河水盛漲查
勘各工搶護平穩情形理合恭摺具
奏仰慰

聖懷再查本年回空漕船接據運河道高三畏稟報截至八月二十九日已催過濟寧六十一幫關河水勢足資浮送臣因黃河水未大消不敢遠離工次疊經嚴飭在濟之道將廳營及沿河員弁節節上緊催儹務期及早歸次趕兌新漕合併陳明伏乞

皇上睿鑒謹

奏

勉力防護以勤為要

嘉慶七年九月　初七　日

六八三

奏

奴才台布跪

奏爲派員把守黃河冰橋以資防禦恭摺奏

聞仰祈

聖鑒事竊查台吉巴爾木古台吉蓀柱等二員皆係

從前獲咎之人奴才去歲曾經

奏明蒙

恩各賞閑散台吉職銜後隨將該台吉等分別派赴

冰橋要隘防範該員等頗爲出力曾截拏行刼

番賊解辦蒙

恩又加賞緞疋等項在案今查不日將届冬令自應

仍派該員等在去年設卡原處防禦但伊二人

係閑散台吉單身前往不能有益奴才飭令台吉

恭布多爾吉查漢諾們罕二旗人户内向來與
巴爾木古恭柱同心願往者各揀選四五十户
帶往氷橋要隘防堵外再查每年氷橋結凍時
貴德廳營派撥兵役四十名在於敦隆　作爾
犨　尼思那　阿什貢等處渡口歷年防範在
案近來番子屢有偷竊之事渡口又多鞭長莫
及恐前項兵役不足防禦等愚意由貴德民兵
内派撥六十名前往協同防範更足以壯聲勢
所用號衣帳房鉛丸火藥由貴德營借用外但
此項民兵並無糧餉此次派往難令枵腹從事
可否照營兵之例
賞給鹽菜口糧之處出自
皇上
天恩理合恭摺奏
聞伏祈
皇上睿鑒
訓示遵行謹
奏

照例賞給口糧

嘉慶七年九月 二十三 日

六八四

奏

兩江總督臣鐵保跪

奏為趕挑天然峯山二閘引河以備黃河盛漲時

分洩仰祈

聖鑒事竊臣接准河臣戴均元徐端咨會天然峯山

兩閘以下引河為減黃助清最要關鍵現在重

運指日經臨湖水漸次微弱必須乘早興挑疏

浚帮築堤埝以備汛期啟放現飭委員查勘應

循例

奏明由藩庫借項興辦攤徵歸款等因臣幷據署

徐州道張鼎稟稱查天然峯山閘下坐落江蘇

之銅山蕭縣睢寧安徽之宿州靈壁泗州等州

縣境內各引河十一年興挑之後黃水經行二

年間有淤墊深淺不等兩岸子埝或被沖缺應
須補築或舊埝卑矮單薄應行加培均須一律
挑浚深通加築高厚庶足為黃水分洩之用等
情前來臣伏查雲梯關下陳家浦指日合龍河
歸故道若不急籌分洩將來湖水稍弱不能抵
黃河口即難免淺阻之患天然峯山二閘以下
引河為黃河上游分洩要路每遇盛漲之時啟
放宣洩寬為得力應次興挑均由司庫借項支
給分年攤徵還款茲據河臣咨會急應辦理係
為預籌黃水倒漾起見自應乘此春水未長之
前趕緊興辦以備宣洩除分飭徐州道張鼎盧
鳳道廣泰再行確勘將必應挑築處所核實估
計一面咨會江蘇安徽撫臣飭司籌款
奏明動借即責成該二道督率各該地方官認真
上緊挑築工竣報驗不許稍有草率弊混其借
動銀兩仍分年攤徵還款以符向例所有籌辦
緣由謹先由驛馳
奏其應用土方丈尺銀兩數目容臣與撫臣等估

計確實另行具

奏伏乞

皇上睿鑒謹

奏

知道了

嘉慶十三年正月　初七　日

六八五

奏

臣鐵保臣戴均元臣徐端跪

奏為淮揚道屬黃河各廳大堤亟須培築以資捍
衛據實奏祈
聖鑒事竊陳家浦大工現在告竣一切善後事宜必
應次第辦理茲查河工修防以大堤為根本江
境黃河南北兩岸堤長二千餘里近年因河底
淤高大堤日形卑矮以致要工疊出前於上年
春間經臣等悉心籌畫切實勘估擇其最要者
先行儧辦其稍可緩者分別幫培或量加子堰
以歸撙節
奏蒙
恩准辦理完竣驗收在案查徐州道所屬各廳地處

上游情形較為着重是以先儘估築雖未能十
分高寬藉以稍資捍衛上年伏秋大汛獲保平
寧現在毋庸籌議惟淮揚道所屬自外河廳以
下山安海防等廳上次因核計錢糧過多且地
近下游僅擇其最要者估辦未能多為加培上
年大汛盛漲之際遂致搶護不遑處處危險仰
賴
聖德感孚
神庥垂佑桃北外河山安等廳幸保無虞臣等事後
追思實為心悸茲據淮揚道繪圖具稟揚屬之
桃北桃南外河山安海防等五廳黃河大堤自
宿桃交界起至海防十五堡止亟須再為擇要
加培細按大汛時堤工出水尺寸分別估計請
辦前來臣等前於盛漲搶辦各工時往來南北
兩岸目覩舊堤卑矮單薄之處多與外灘相平
僅賴臨時搶加子堰抵禦雖倖獲安全而灘面
又復淤高到處有平水漫水之勢誠恐再經伏
秋大汛不免顧此失彼惟兩岸堤長七百餘里

當此錢糧支絀之際勢不能普律培築高厚以
圖計出萬全臣鐵保復以錢糧浩繁鄭重籌維
嚴飭該道再往查勘核議先擇其必不可緩者
撙節估辦臣戴均元臣徐端先後親赴各廳確
按河勢情形逐段勘量丈尺凡上年已培之堤
内有又經盛漲漫灘受淤現形卑矮者應於原
做子堰貫頂加培外餘皆細爲剔除不任稍有
重複牽混至舊堤應培應築之處及應添挑壩
加幫越堤撑堰子堰等工亦再三斟酌擇其必
應辦理者悉心估算共需土方價值銀五十三
萬七千八百九十餘兩實係情形最險處所萬
難停緩之工臣等深知經費有常遇事必力求
節省惟思河工根本全在堤防况舊河疏復之
後尤賴堤堰收束得力方冀逐漸深暢不得不
權其緩急輕重據實上陳仰懇
天恩
俯准發辦以資防守謹將應培堤工段落丈尺估需
銀兩數目開具清單並繪圖貼說恭呈

御覽如蒙
俞允所需方價銀兩並祈
敕部在於兩淮浙江運庫及淮安九江蕪湖杭州等
關庫就近湊撥解工應用容臣等遴派誠實可
靠之員分投集夫趕緊培築勒限大汛前一律
完竣仍率同該管道員上下親行監督務令實
力夯硪並照依上年
奏定章程派委不管河務之司道府大員隨時查
訪稽察逐段皆有丈尺可憑不能影射如有絲
毫偷減草率立即嚴參究治以重要工臣等謹
合詞恭摺具
奏伏乞
皇上睿鑒訓示謹
奏

戶部議奏

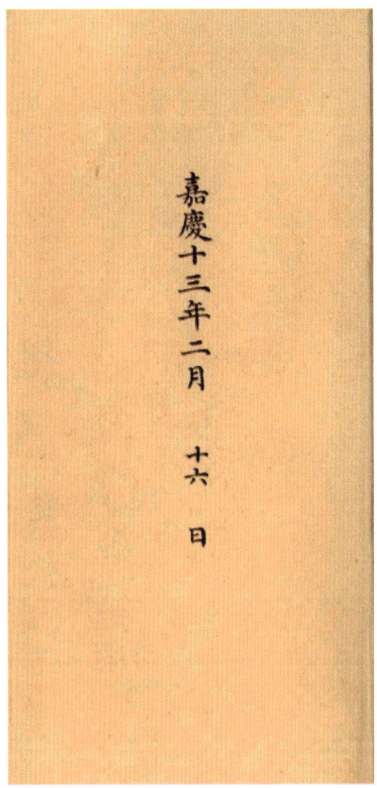
嘉慶十三年二月　十六　日

六八六

奏

直隸總督臣溫承惠跪

奏為東省四女寺下游直境老黄河工段請照原
估續挑緣由恭摺奏
聞事竊照直隸吳橋寧津南皮鹽山等縣境內老黄
河道係山東四女寺支河之下游臣於上年六
月間遵
旨籌辦飭委天津道沈長春帶同委員逐段確估共
需銀一萬八千六百二十餘兩當經開具工段
丈尺清单奏奉
諭旨允准動撥銀兩發交天津道督率趕辦旋准東
省咨會因臨清捫口先將四女寺滚水壩啟放
宣洩庶閘内重運可以出口惟時吳橋等縣雖

已興工尚未完竣不及緩待當即飛飭各該縣
晝夜集夫先將河槽趕緊挑深二三尺東省啟
壩放水到境得以流注無阻隨將各工暫停挑
挖已領銀兩提貯道庫並將已辦工段丈尺核
明登記俟東省挑工定局再為查勘估辦亦經
奏明在案嗣因鴻臚寺少卿賈允升
奏請挑濬減河以利漕運欽奉
上諭著溫承惠吉綸派明幹大員詳細履勘會籌妥
辦以期疏治深通等因欽此臣遵即飭令天津道
沈長春詳加覆勘並咨會山東撫臣吉綸去後
玆准吉綸來咨四女寺支河業經覆加勘估加
展寬深奏明即日興工挑辦其哨馬營河身毋
庸挑挖等因並據天津道沈長春帶同原估各
員查照上游挑工丈尺核計本境河淤形勢逐
段查量順勢遞減所有上年原估丈尺已足以
資暢注毋庸另行加展稟覆前來臣查上年原
估丈尺本屬寬深既據勘明上游交界工程下
游止須查照原估辦理所有銀數亦無庸議加

現即飭令該道將提貯銀兩照數分給各該縣
領回擇吉開工查照原估丈尺接續挑辦責成
該道督率經理事竣具報臣親往驗收不任稍
有浮冒偷減務期疏濬深通以仰副
皇上衛民利漕之至意再查直東兩省減河原係宣
洩夏秋間漳衛諸河異漲之水漳衛水性渾濁
挾沙而行水過沙停即形淤積每當大汛之後
必須議設歲修銀兩年年疏挑庶可期其久遠
應請俟本年挑辦後經歷伏秋汛期察看停淤
約計歲修需費若干再行籌款請
旨辦理為此恭摺具
奏伏乞
皇上睿鑒謹
奏

知道了

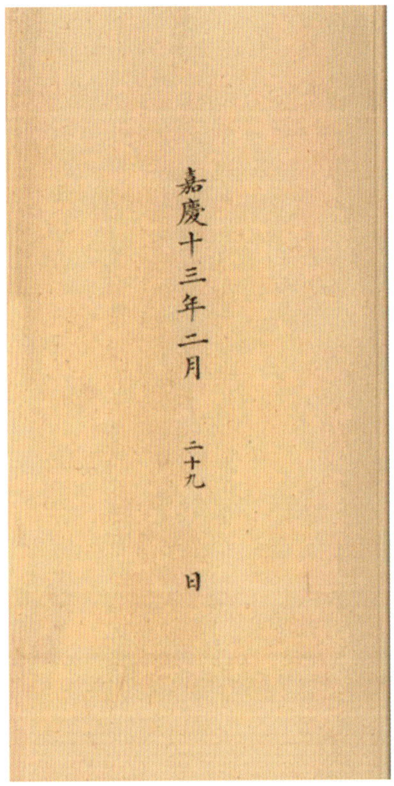
嘉慶十三年二月二十九日

再江境黄河自交桃汛後已長水三次自一尺
一二寸至二尺不等各廳埽壩各工先經正河
臣戴均元預行督飭覈實勘估臣嚴催實力鑲
修完固均資抵禦揚屬各廳應培大隄土工兩
淮撥項已據報起解現亦派定人員分投儹辦
以期無悞臣周巡查勘睢南廳王汛之李家莊
戴汛之鄒家莊及宿南宿北兩廳間有溜勢掃
灣裡卧應酌做挑壩並安紮木龍挑護之處現
飭相機撙節辦理不任率濫糜費此時桃汛水
勢尚在長落未定臣不敢片刻稍懈督飭道將
各員敬慎防範務保平寧仰紓
慈廑容俟桃汛過期另行具
奏理合附摺陳明謹
奏

覽

六八八

奏

河東河道總督臣吳璥跪

奏為黄河桃汛工程平穩並南糧頭進幫船全入
東境行走順速情形仰祈
聖鑒事竊臣前於二月間親赴豫東查勘各工河流
極為順軌本年桃汛自三月初十清明日起至
三十日止據各道稟報黄沁兩河水勢旋長旋
消除長消相抵外僅存長水數寸及尺餘不等
工程均屬平穩其迎溜埽工經凌汛以至桃汛
間有蟄矮段落出水僅高一二三尺者該道等
擇要酌估加廂均已一律整齊其河灘溝槽素
為隱患必須趁大汛前估築土格土壩層層攔
禦以防盛漲漫灘各廳堤壩亦有單薄處所並

須酌估增培以資保障臣現飭各道乘此農隙
之時即行趕辦易於集事其餘可緩之工俱不
准辦理以歸撙節至南糧首幫於三月二十四
日催過濟寧巡漕臣文修即督押北行今截至
三月二十九日頭進船共二十三幫俱已挽入
東境其二進首幫蘇州白糧幫亦已跟接入境

查東境運河水尚充裕惟自彭口閘至夏鎮閘
一塘地勢建瓴塘長水溜且本年各幫有搭運
米石噢水更重每幫上彭口閘後耗水較多必
須下板養蓄方能前進未免稍覺稽延臣與該
道王念孫察看情形應於西灣迤上酌築束水
草壩兩道則水有擎托彭口啟板不致多洩幫

船挽過該閘後即無須多為等候所築草壩需
費無多而船行得以迅速此外塘長各河水勢
均足浮送計頭進首幫日內已可償出臨清閘
其在後各幫臣督率文武各員將已過濟寧者
嚴催北上未到濟寧者加緊迎提並酌籌啟閉
機宜隨時宣濟務令遄行無滯早達

天庾所有桃汛工程平穩及南糧頭進幫船全入東

境行走順速情形理合恭摺奏

聞伏乞

皇上睿鑒謹

奏

欣慰覽之

嘉慶十三年四月　初三　日

六八九

奏

湖廣總督臣汪志伊跪

奏為悮違例限部議休致之藍翎侍衛情殷報効

據情轉

奏恭候

聖裁事竊臣據湖北布政使常安詳據松滋縣休致

藍翎侍衛黄河清呈稱竊職係湖北荊州府松

滋縣人由嘉慶四年己未科進士

欽授藍翎侍衛敬謹當差至七年十二月因父病告

假回籍省視八年四月職亦染患傷寒病症當

經呈報地方官詳請展限在案嗣職父於八年

十月三十日病故職哀痛抑鬱舊疾復作昏迷

之際致未將續經患病一層於具報丁憂呈內

一併聲敘迨嘉慶十一年正月呈請本縣詳報服闋起復於四月初六日到京銷假旋奉部議以職逾限二年零二十六日附入彙

題案內照例休致實屬咎有應得緣職初入仕途不知武職守制祇應百日錯守親喪二十七月之例並以舊病復發悞為尚在丁憂期內毋須另行呈報遂致起復到京濡遲伏思職現年二十九歲精力方壯報効情殷呈懇詳請轉

奏乞

恩開復俾効犬馬之勞等情詳請具

奏前來臣查例載漢侍衛告假回籍如遇親喪准其在籍守制百日等語該員黃河清於嘉慶七年十二月初三日在京告假回籍省親定限八年六月初三日至京嗣於八年四月內患病由縣詳請展限又於八年十月三十日丁憂至十一年正月三十日服滿於二月初十日起程均經前藩司據情具詳請咨部嗣於十一年九月十二日接准部咨以該侍衛到京逾限二年零

二十六日
題請照例休致等因各在案是該員於告假回籍
後旋因患病復接丁憂乃於守制百日期滿不
即赴部銷假直至逾限二年零二十六日始行
到部雖續經患病又未據呈報部議休致實屬
咎由自取但現據呈稱丁憂後哀痛廹切舊疾
復發實由不諳武職定例祇應守制百日錯守
親喪二十七箇月之例續經患病悞會尚在丁
憂期内致未呈報并起程濡遲似屬實情與無
故躭延有心遲逾者有間并經臣考驗得該員
黄河清漢伏甚好弓馬優嫻年富力強洵為有
用之材廢棄殊覺可惜前經部議休致實由該
員草茅新進悞違例限所致可否准其開復原
官之處理合據實具
奏恭候
皇上睿裁施行謹
奏
另有旨

嘉慶十三年五月十九日

六九〇

奏

臣鐵保臣徐端跪

奏爲夏至後黄河水勢驟漲各工搶護平穩情形

恭摺奏

聞仰祈

聖鑒事竊照前於五月二十九日節交夏至臣等將

預籌防汛事宜先經繕摺具

奏在案臣等正在督飭道將各員分投上下巡查

按段派員駐守適閏五月初五六日兩日之内

豐北蕭南廳境内陡長水五尺銅沛邳睢宿南

北等廳同時報長水四尺四五六寸不等外河

廳之順黄壩於初六七兩日長水三尺五寸溜

勢奔騰浩瀚甚爲猛驟所有各工臨黄埽壩本

年春修尚俱高犟足資抵禦間有舊埽行蟄平
蟄段落臣等督飭該管廳營隨時動料加鑲搶
護一律穩固徐州道屬睢南廳王汛之李家莊
戴汛之鄒家莊兩處上年秋汛時察看溜勢裹
卧即已酌做挑壩安紮木龍挑護本年桃汛水
長李家莊漸形著重當將原築土壩五道盤頭
裹護外用碎石包砌此次長水各壩屹立不動
甚為得力其鄒家莊原做磨盤埽上下溜刷堤
根復接鑲護埽二十餘丈宿北廳張家窑地方
桃汛時大溜刷灘即經附摺
奏明趕做挑水壩三道用料盤護現因溜復上提
接鑲新埽四十餘丈飭令徐州道張鼎親駐該
工督率搶護穩固其下游淮揚道所屬山安廳
境之湯工尾上年大汛時因溜刷堤根
奏明先紮木龍挑護并預幫壩臺儲料防守本年
桃汛後大溜趨注湧激臣徐端親赴該工察看
形勢已成頂衝當即督同淮揚道鰲圖駐催趕
鑲埽段抵禦此次長水得以保護無虞惟大汛

甫交溜勢提移未定臣等現飭各該道廳添備料物刻刻小心備防不任片刻稍懈茲閏五月初十日水勢已見消動各工一律平穩至洪澤湖連日長水三寸高堰誌樁存水一丈二尺九寸近日沿河一帶澍雨頻沾察看湖心飽滿正在長發已飭將束清壩預行拆展俾湖水全力由清口暢出敵黃其禦黃壩口門暫緩展寬以防黃水續長當此汛期伊始黃水即如此驟漲在工各員莫不交相警惕臣等惟有率同康基田同興等虛衷籌酌務令節宣防禦各得其宜不任率滋糜費亦不致因循貽悮以仰副
聖主廑念河防之至意所有夏至後黃水驟漲各工搶護平穩情形理合恭摺具
奏伏乞
皇上睿鑒謹
奏

實心實力敬慎辦理以待安瀾

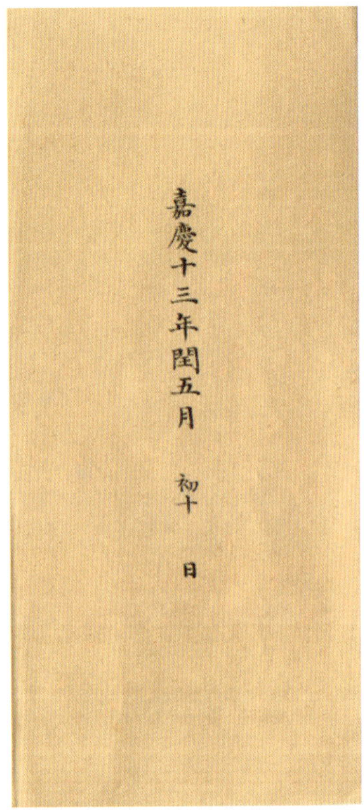

嘉慶十三年閏五月　初十　日

六九一

奏

臣鐵保臣徐端跪

奏為時交入伏洪澤湖水勢盛漲酌啟信字壩減

洩並黃河各工搶護平穩情形恭摺奏

聞仰祈

聖鑒事竊照夏至節後閏五月初五六七等日江境

黃河水勢驟漲情形前經臣等繕摺具

奏在案自閏五月上旬以來洪澤湖上游皖省灊

山一帶得雨較大各處山水驟發下注據正陽

關馳報自五月三十日至閏五月十四日淮河

共長水二丈二尺八寸是以洪湖之水長發甚

驟每日長水二三四五寸不等臣等先經將河

口之東清壩大加拆展後復將禦黃壩拆展拉

撈俾清水暢行外注連日察看湖心飽滿仍在
有長無消高堰誌樁已存水一丈六尺六寸高
堰隄工岌岌可危臣等公同商酌山盱五壩原
為分洩盛漲之路今湖水盛漲久逾定誌而五
壩下游之高寶諸湖本年底水較小足以容納
自應照例啟壩以資減洩當即飭令淮揚道驇
圖前往將信字壩啟放過水一面飛飭下游揚
糧廳將金灣六閘芒稻閘人字河等處歸江之
路趕為啟壩俾減下之水循序歸江如果湖水
從此平定則智禮等壩自可毋庸議啟所有芒
稻閘一路足資宣洩其高郵之南關車邏等壩
均可慎守勿啟於下河各州縣農田並無妨礙
臣等現復添派幹員在於山盱高堰一帶節節
慎重防守以期鞏固仍一面將束清禦黄兩壩
再行展拓務令湖水全力由河口暢出以收刷
黄之益至徐揚兩道屬黄河各工自閏五月初
十日以後前漲之水消落二尺餘寸至三尺不
等仍存長水尺餘至十六七八等日又長水一

尺及一尺二三寸不等溜勢仍形浩瀚邳北廳
境五工頭汎之鄭家馬路溜勢北趨刷灘逼近
隄根現在趕築挑壩預爲盤頭鑲埽以資挑禦
又揚屬桃南廳之龍窩汎二十一堡大溜刷灘
裡卧已趕紮木龍並鑲挑水壩抵禦無虞一律
穩固兹閏五月二十五日時交初伏水勢長發
不時正河防喫緊之時臣鐵保現抵工次會同
臣徐端分投上下策應刻刻敬畏巡防副河臣
那彦成現赴揚州一經查辦事竣亦即來工臣
等惟有協力同心督同在工各員共竭駑駘虚
衷籌酌相機搶護務保安瀾以仰副
聖主廑念河防保衛民生之至意所有洪澤湖水勢
盛漲酌籌減洩並各工平穩情形理合恭摺馳
奏伏乞
皇上睿鑒謹
奏

另有旨

嘉慶十三年閏五月二十五日

六九二

奏

陝甘總督臣長齡跪

奏為黃河水勢驟長皋蘭縣沿河村莊猝被水災

現在先行撫卹勘辦恭摺馳

奏仰祈

聖鑒事竊照甘肅省城及甘涼肅州等處入夏以來雨澤愆期田禾稍旱至閏五月下旬始據各屬陸續稟報得雨自二三寸至深透不等省城亦於閏五月二十一日得雨起斷續相間至二十五六七等日大雨滂沱極為深透旱苗可冀復蘇惟黃河水勢先於二十三四日漸次加漲自係西寧口外一帶山水下注連日又兼大雨至二十七日夜間長至二丈有餘波濤洶湧上游

冲下牲畜田禾罷具甚多間有淹斃浮屍並將
蘭州浮橋冲斷船隻随溜淌至硤口水勢甚猛
人力難施擊石全行撞破板片漂沒無存臯蘭
縣所屬沿河南岸之大雁灘東崗鎮方家灣高
臺子馬灘奶子堡等處七十餘村莊地畝田禾
實屬大災可憫之極
房屋均被水冲淹斃人口尚未查明其存活者
俱在水中攀棲樹杪臣即率同司道親赴河干
飛飭蘭州府縣並遴委妥員連夜冒雨馳往各
處雇覓善水人夫多紮皮筏分頭救援擇附近
村莊暫為安頓臣等捐貲拯濟不使失所本日
天已晴霽而水勢尚未減退其黄河北岸村莊
及上游各屬有無被水冲壓之處尚難確查現
在多備船筏設法濟渡文報確探沿河被水處
所趕緊查辦至被冲地畝田廬及損斃人口牲
畜等項容俟水勢稍減分委妥員勘實照急賑
之例撫卹辦理仍由驛馳奏仰紓
聖廑所有臯蘭縣沿河村莊被水先行撫卹勘辦緣
由謹恭摺由驛奏

聞伏乞
皇上睿鑒謹
奏

另有旨

嘉慶十三年閏五月　二十八　日

六九三

奏

直隸總督臣溫承惠跪

奏為東省四女寺下游直境老黄河工段挑辦完

竣恭摺奏

聞事竊照直隸吳橋寧津南皮鹽山等縣境内老黄

河道係山東四女寺支河之下游臣於上年六

月間遵

旨籌辦飭委天津道沈長春帶同通判陳春熙等逐

段勘估共需銀一萬八千六百二十餘兩當經

開具工段丈尺清单奏奉

諭旨允准動項辦理旋因東省臨清㭕口四女寺即

須啟壩宣洩吳橋等縣未及完工

奏明暫停挑辦嗣因鴻臚寺少卿賈允升奏請挑

濬減河以利漕運奉
旨著温承惠吉綸派明幹大員詳勘妥辦以期疏治
深通等因欽此臣遵復派令天津道沈長春帶同
原估各員查照上游交界挑濬工程核計本境
河淤形勢止須照原估辦理丈尺銀數均可毋
庸議加當即一面覆
奏一面即飭該道督率印委各員認真趕辦於閏
五月中旬陸續據報完工其時將交大汛必須
即行驗收以昭核實臣因正赴永定河查驗加
培工程未及分身親往查清河道胡鈺曉暢河
防曾任天津道於該處情形尤為熟悉當即飭
委該道帶同通判江德沛馳往按照原估工段
逐一查量兹據稟報查驗吳橋等縣挑挖工段
一律深通所有寬深丈尺悉與原估相符委無
草率偷減等弊並具結呈送前來除咨會山東
撫臣查照並將各工丈尺土方銀數另行造冊
題銷外所有老黄河工段挑辦完竣緣由理合恭
摺具

奏伏乞
皇上睿鑒謹
奏
知道了

嘉慶十三年六月初五日

六九四

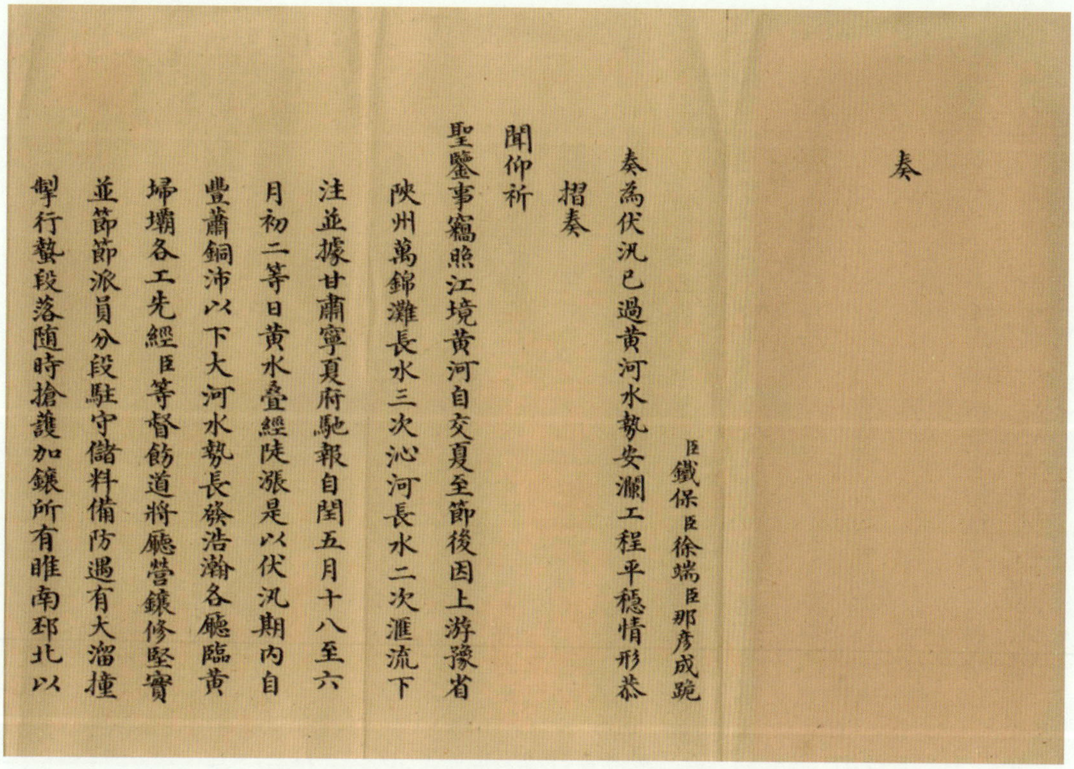

奏

臣鐵保臣徐端臣那彥成跪

奏為伏汛已過黃河水勢安瀾工程平穩情形恭

摺奏

聞仰祈

聖鑒事竊照江境黃河自交夏至節後因上游豫省

陝州萬錦灘長水三次沁河長水二次滙流下

注並據甘肅寧夏府馳報自閏五月十八至六

月初二等日黃水疊經陡漲是以伏汛期內自

豐蕭銅沛以下大河水勢長發浩瀚各廳臨黃

埽壩各工先經臣等督飭道將廳營鑲修堅實

並節節派員分段駐守儲料備防遇有大溜撞

擊行蟄段落隨時搶護加鑲所有睢南邳北以

及宿南北桃北等廳間有溜勢側注趨刷隄根
不得不築壩鑲埽設法抵禦處所前經附摺
奏明搶鑲新埽預築挑壩偎護碎石等工均慎重
加鑲追壓務臻鞏固現仍不敢片刻稍懈應俟
工竣核明實做工長丈尺動用錢糧細數另行
開單具
奏不任絲毫稍滋糜冒閏五月二十八九日六月
初一二等日黃水長發較大銅沛廳屬徐城北
門誌樁長至一丈八尺九寸外河順黃壩長至
三丈一尺五寸處處出槽漫灘當經飛飭徐州
道將睢寧南岸之峯山二三兩閘啟放大河得
資平減睢南廳魏家莊係著名最險之工因大
溜滂注舊埽陡蟄傷及隄身當經該道廳等漏
夜補鑲新埽搶護無虞又宿北廳皂河汎之夏
工迤下陸家莊地方舊埽久經淤閉停修六月
初一二等日大溜裡卧將淤灘舊埽全行刷去
該處逼近運河亦屬緊要當即漏夜運料搶鑲
新埽一百二十餘丈得資平穩其下游揚屬各

廳因河口洪湖漲水湧注是以外河山安海防
等廳境內水勢拍岸盈隄埽壩工段在在著重
臣等分督廳營漏夜搶鑲加高幾於措手不及
而長隄無埽處所溜汕隄根尤為危急臣等添
派効力候補多員分段搶護山安廳境雲梯關
外臨黃民堰多有汕刷殘缺幸本年大隄培築
加高得以抵禦無虞海防廳南岸汛十五堡天
妃宮上下一帶搶鑲防風四千餘丈陳家浦大
壩外北圈堰大溜汕刷趕築挑水壩並紮木龍
一架挑溜開行藉資穩固六月十七日節屆立
秋伏汛已過黃河順軌東趨臨黃埽壩各工一
律平穩此後秋汛為日方長黃水長落難以預
定臣等惟有倍加奮勵督率在工各員刻刻敬
畏小心防護務冀秋汛恬瀾仰抒
宵旰於萬一除洪澤湖漲水續消現在趕辦河口清
江各工情形另摺具
奏外所有伏汛黃河各工平穩緣由理合繕摺奏
聞伏乞

皇上睿鑒謹

奏

欣慰覽之

嘉慶十三年六月　十八　日

六九五

奏

臣鐵保臣徐端臣那彥成跪

奏為欽遵

諭旨查明運口磚工原建年分並現在趕辦各工及

黃河水勢長落情形恭摺覆

奏仰祈

聖鑒事竊臣等於六月二十日承准軍機大臣字寄

嘉慶十三年六月十四日奉

上諭高堰為淮揚數郡保障關係百萬生靈非常緊

要伊等朝夕在工往來查勘豈於工程應行修築

培補之處全然不知而乃漠不經心以致異漲之

來臨湖磚工掣通至一百餘丈看來當日辦理此

工本不堅固著鐵保等即行據實查明此項磚工

係何年所辦曾否逾保固之限係何人任内之事
是否戴均元吴璥俱曾經手督辦著確切查明將
河臣工員等分別叅處著賠不可稍有瞻徇再黄
河上游昨據甘肅奏報驟長至二丈有餘何以本
日伊等摺内轉稱順黄壩落水一尺二寸實不可
解其因何消落之故殊為廑念著即查明具奏并
通飭各處工員慎重防範為要等因欽此臣等跪
讀之下悚懼戰慄謹伏地碰頭叩謝
天恩另摺瀝情專差賫
奏外伏查裡河廳屬運口太平河臨湖一帶從前
原係土堤於乾隆二十七年前河臣高晉任内
欽遵
諭旨一律建砌磚工歴年已久迨嘉慶九年冬間
欽差尚書臣姜晟會同前河臣吴璥暨臣徐端籌議
湖河全局案内因該處已在清水出口處所非
若高堰山盱捍禦湖心之比是以僅議加磚一
層臣徐端于十年春間到任後照估督辦完竣
前自閏五月二十八九至六月初八日適遇蛟

水下注非常暴漲兼因排日狂風驟雨浪高堤
頂幾及丈許以致掣通過水雖非人力能施而
道將廳營疏防之咎例有應得臣等現在查開
職名另疏
題參所掣舊工應俟工完照例分别賠銷其嘉慶
十年春間加砌一層之磚係臣徐端到任接辦
之事工員保固業經限滿惟有仰懇
聖恩即在臣徐端名下全數著賠以示懲儆庶臣心
得以稍安臣等連日將各處缺口趕緊盤頭業
已裹護平定不致再有續塌加寬河口高堰一
帶又落水一尺磚工缺口外出之水勢亦稍平
料船可以過渡現在一面四路催購儹運正雜
各料一面遵
旨咨行兩淮浙江藩運關各庫湊撥銀兩星夜解工
以資應用計算各處撥項到工時新料業已登
場採購較易可冀刻期集事臣等前
奏先行趕堵之百子堂對岸七里溝口門於盤頭
之後業已進占做成十丈臣等緝量口門雖寬

究非黄河之比督飭廳將等滿夜償辦尅期旬
日内外即可合龍其千根旗杆一處此時水勢
既消亦即趕爲收束尅期堵閉俾裡河之水循
軌下注總期回空未到以前一律全竣臣鐵保
臣徐端感荷
聖慈訓飭如此警覺提撕萬分愧奮無地自容惟有
竭盡駑駘倍加奮勵以期要工早竣稍贖罪戾
於萬一現在智信二壩及運口漫注之水全歸
寶應高郵各湖據報高郵一帶運河水長湧驟
前飭開放之車邏南關等壩尚恐宣洩不及又
經飭令將五里中壩及昭關壩兩處啟放俾暢
洩歸海其下游淮揚兩府屬被水處所臣鐵保
前已遵
旨遴派多員分投前往一面妥辦撫䘏一面確查輕
重情形分别蠲賑臣鐵保仍即就近親往查辦
務期認真經理不致一夫失所仰副
聖主軫念黎元之至意斷不敢稍任諱飾再查黄河
水勢如上游前水已消後水未至則下游即見

消落前于六月初九日臣等具
奏外河順黄壩落水一尺二寸盖因萬錦灘前長
之水已消甘肅寧夏續長之水未到是以偶見
消落嗣據徐州道稟報六月十五六等日又長
水二尺五六寸臣等計算寧夏之水將次入境
當即飛飭將徐城上游之天然閘啟放預為減
洩是以外河順黄壩僅長水二尺四寸現自十
七日以後仍即見消此係黄水長落實在情形
第查歷年秋汛水勢皆易長難消江境地處下
游尤為著重臣等現督各道廳倍加小心防範
處處添備料物擇要加壢帮堤務臻鞏固現在
東北岸自清江淮安至寶應阜寧一帶居民稠
密處所安堵如常足以上紓
慈廑至前次落水淹斃兵夫業經查明現即遵
旨分别咨部邺賞以廣
皇仁所有欽遵
諭旨查辦各情形理合繕摺覆
奏伏乞

皇上睿鑒謹

奏

另有旨

嘉慶十三年六月　二十二　日

六九六

奏

臣鐵保臣徐端臣那彥成跪

奏為黃河水勢續長旋復消落各工搶護平穩並
下游揚河高寶一帶啟壩分洩各情形恭摺奏
聞仰祈
聖鑒事竊臣等前蒙
諭旨訓示甘肅寧夏漲水下注欽遵督飭道將廳營
倍加小心防範前經
奏明六月十五六等日徐屬各廳長水二尺五六
寸當將天然閘啟放減洩水勢甫見平定又據
河南陝州馳報萬錦灘於六月十七日巳刻陡
長水二尺七寸武陟縣馳報沁河於六月十一
二兩日接續長水五尺九寸沁黃並漲較為猛

縣江境豐碭銅沛等廳於二十一二等日又長
水一尺七八寸至二尺餘寸不等前水未消後
水復至未免益形浩瀚豐北廳屬豐下汎之陳
家壩迤下上年因溜勢北趨原做越堰挑壩以
資備防此次長水大溜趨刷愈緊並該工迤下
舊有攔水壩一道為唐家林一帶蓋護均經該
道廳趕為鑲埽裹護挑禦甚為得力其餘迎溜
汕蟄平蟄工段皆隨時加鑲追壓抵禦查此次
黃水陡長計算時日自係寧夏所漲下注之水
仰蒙
聖明燭照先幾
訓示俾臣等預為防範得以保護安全曷勝欽感其
揚屬外河山安海防等廳地居下游衆水滙歸
是以所長尺寸較大順黃壩於六月二十三四
五等日共長水二尺五寸河口漸見倒漾臣等
先經將禦黃壩原拆口門趕緊收束存寬三十
五丈現在相度情形湖水業已平定而黃河秋
汛正旺長發難以預定倘此後黃水再長即將

禦黃壩口門暫行堵閉以免倒灌俟回空漕船
到境再行啟放其山安海防兩廳境自閏五月
下旬以後清黃兩水並注汪洋恣肆河身淘刷
加寬海防南岸陳家浦以下周金港鱔魚塘及
四五六巨一帶舊有民堰上年大汛汕刷過水
處所均經臣等派員培築堅實並鑲防風一千
六百餘丈俾資抵禦本年疊經漲水皆一律完
固並無旁洩其山安北岸之六套一帶無隄處
所往年大汛本皆漫水此次刷有溝槽分流由
灌河口歸海應俟漲水消落霜後再行確勘辦
理茲於六月二十八日外河各工已消水二尺
七八寸似此黃水旋長旋消實邀
聖德感孚
河神垂佑所賜臣等感幸警惕莫可言喻惟有倍加
敬畏刻刻小心防範務冀平寧臣鐵保現在清
江不時親往近處督辦撫邮事務并會商臣徐
端臣那彥成調派幹練員弁刻日興作四路嚴
催錢糧料物源源接濟早得次第集事俟黃水

再落各工少有頭緒仍須親往下游查驗工段
並確勘灾區情形會同撫臣籌辦地方賑撫各
事宜不任稍有滲遺臣徐端現駐河口將臨湖
皷工缺口及佘家壩等處趕爲集料收束以備
回空經臨臣那彦成専駐百子堂工次現在趕
緊進占已做成四十餘丈正河船隻已照常通
行上緊督催務於旬日内堵合全竣後再行分
投趕辦各處至寳應高郵各湖之水串注運河
臣等先經飭令將高郵之南關車邏五里等壩
全行開放尚不足以資消減復將卲伯迤上之
昭關壩啓放並專派河標副將汪德前往率同
廳營委員等分段搶護所有高郵卲伯城垣市
鎮緊要處所長隄工段俱得保守無虞惟揚糧
廳境荷花塘迤南舊隄並筧家營蔡家潭俱有
漫水其水仍歸昭關壩引河下注高郵一帶已
報水勢消落現飭該副將等趕緊盤護其興化
東臺一帶歸海去路臣等前此已遴派幹員前
往確查應俟查明另行具

奏所有黄水續又加長搶辦各工平穩並下游啟

壩分洩漫水各情形理合繕摺奏

聞伏乞

皇上睿鑒謹

奏

覽奏俱悉

嘉慶十三年六月 二十八 日

六九七

奏

臣鐵保臣徐端臣那彥成跪

奏為白露已過黃河水勢安瀾工程修防平穩並
裡河廳屬千根旗杆缺口堵竣情形恭摺奏
聞仰祈
聖鑒事竊照七月上旬以前黃運兩河水勢工程並
通盤籌計次第備辦各情形節經臣等繕摺具
奏在案自交處暑節後臣等察看洪澤湖漲水消
落大河黃水未消一面將禦黃壩收束趕堵以
防倒灌一面趕將裡河之百子堂千根旗杆兩
處缺口晝夜先行備辦查該二處口門一寬七
十六丈七尺一寬八十二丈口門既寬吸溜較
大千根旗杆土性稍堅臣等輪流督催慎重鑲

築已於七月十八日堵閉合龍現仍趕澆裡戗
以資穩固惟百子堂土性鬆浮溜勢尤大口門
深至四丈餘尺往來商船駕駛稍有不善往往
為溜所吸七月初三日金門收窄正在合龍忽
將門占刷陷趕緊漏夜鑲築至初九日夜大風
暴雨溜愈奔騰又將第二三占蟄塌臣等當將
專派鑲工之守備金秀先行摘去頂戴另疏
題參革職並將所掣各占料物責令掌壩之同知
賠出不准開銷仍督飭加鑲邊埽幫寬壩臺趕
緊晝夜進占金門現只存寬十五丈水勢已歸
正河下注淮關一帶商販重船往來暢順旬日
之内亦即可合龍妥竣至運口戗工缺口及佘
家壩等處臣徐端先經督率分別盤頭並將惠
濟閘上下各土堰漫刷殘缺之處逐一補築次
第收拾完整以通縴挽現在趕催料物調集兵
夫分投進占臣那彥成一俟百子堂工完亦即
帶同巴寧阿並文武員弁赴運口併力督辦務
將各缺口尅日儹堵一律全行藏事以上抒

是

慈廑其山盱之智信二壩專委新任淮揚道葉觀潮
候補道裘世璘督率備辦據報於七月初十日
開工進占智字壩已做成四十餘丈仰賴
神庥西風不作亦尅日可竣惟該二壩因盛漲啟放
時水面高壩底丈餘是以沖跌掣有坑塘現需
圈越築壩所用工料稍多下游之荷花塘蔡家
潭二處先經派令中軍副將汪德前往業已盤
住裹頭俟上游各口堵閉水勢消落後即行與
築臣鐵保嚴督四路備運料物刻刻訪察稽查
不敢任信工員稍滋侵冒糜費至徐揚兩屬黃
河各工於七月初十及十二三等日又長水一
尺五六寸至二尺不等溜勢仍前湧激蕭南廳
屬之蕭汎田家樓迤下舊有順隄河形嘉慶七
年曾做挑水壩一道挑禦得力近日溜勢南趨
壩身刷蟄當飭該廳營趕鑲護埽雁翅以資攔
禦又該汎之賀家莊地方向無埽工現因溜卧
隄根亦趕鑲埽段抵禦得資平穩又銅沛廳北
岸蕪家山閘外舊有護埽鉗束節宣該閘自啟

放以來大汛過水湧猛閘外舊埽刷蟄並經徐
州道張鼎督率另盤裹頭鑲做邊埽挑壩以護
閘後隄工此外如宿南廳洋河汛趙家莊迤上
桃北廳黄汛小八堡迤上均因溜勢上提接鑲
新埽抵禦無虞兹七月十八日節交白露仰賴
聖主洪庥
河神嘉佑黄河埽壩各工一律平穩此後水力自必
漸綿惟計期距霜降尚遠江境為衆水滙歸之
區向來秋汛較為著重臣等振勵精神不敢片
刻稍懈倍加敬畏小心防護務保安瀾上副
聖主諄切告誡之至意臣等前
奏雲梯關外山安北岸之六套一帶黄水分流由
灌河歸海處所屢經派員往看八灘以下正海
口因秋令潮旺頂托漸形淤淺而六套分流之
處形勢漸暢惟所經蘆葦蕩地並無河槽臣等
公同商酌海灘形勢變遷不常應俟霜降水落
歸槽再為確勘辦理合併附摺陳明所有節逾
白露黄河各工平穩並備堵千根旗杆缺口合

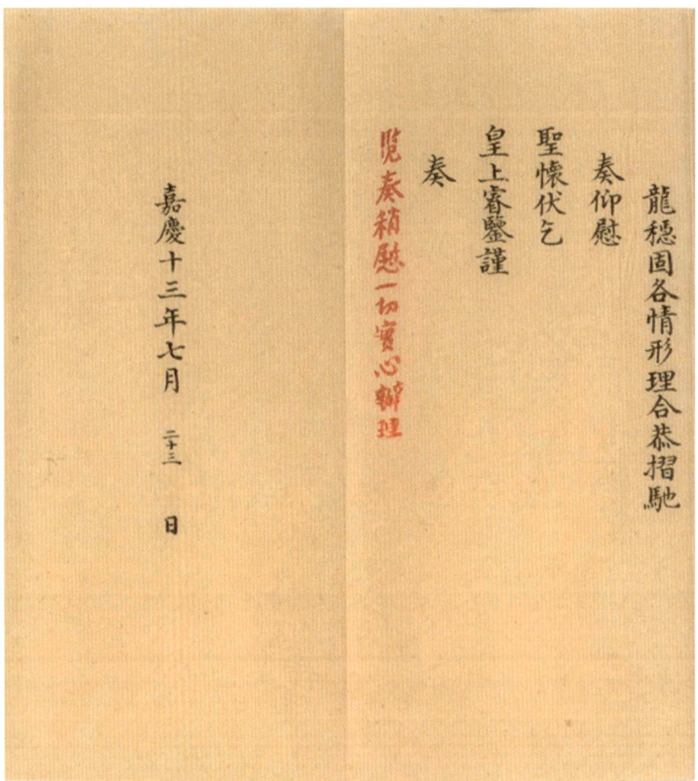

龍穩固各情形理合恭摺馳

奏仰慰

聖懷伏乞

皇上睿鑒謹

奏

覽奏稍慰一切實心辦理

嘉慶十三年七月　二十三　日

六九八

奏

臣徐端臣那彥成跪

奏為洪湖智壩合龍並節交寒露黃河水勢工程

平穩河口趲辦各工情形恭摺奏

聞仰祈

聖鑒事竊照八月上旬黃河水勢工程情形並百子

堂合龍穩固緣由前經臣等繕摺具

奏在案自八月初四日秋分節以後徐揚兩屬黃

河各工水勢旋長旋消工程一律平穩惟蕭南

廳之賀家莊新工溜勢提移不定專飭徐州道

張鼎親駐督辦幫寬壩臺加鑲追壓穩固茲八

月十九日節交寒露水力日綿臣等酌量各廳

凡稍緩之工皆不准率行動料以杜冒混以歸

撙節現距霜降僅只半月安瀾可冀足以上紓
慈廑所有洪澤湖山盱廳之智信兩壩因暴漲之水
過大壩底跌塘冲揭刷成溝槽水深二丈一二
尺至三丈不等臣等督飭道員葉觀潮等慎重
圖越築壩捲埽前進於八月十二日將智字壩
堵合斷流後即令候補道袁世璘前赴信壩督
辦興工進占現已做成二十餘丈趕月底月初
定可一律全竣臣那彦成於百子堂蕆工後亦
至河口會同臣徐端督率道將各員分投趲辦
伏查運口各工内以臨湖輓工為首百子堂為
尾而中段之佘家壩一處洩水口門為最大其
餘自運口二壩以下至惠濟閘及北褁頭横隄
外堰又二三兩閘上下縴道隄工當六月初間
湖水暴漲之際處處皆漫刷過水迨水勢消動
臣等即乘舟逐細籌度先將各隄堰可以施工
而刻不可緩者分别酌用料土堵截補築以通
運料之路其應補還三壩及各處小缺口凡可
稍緩之工即令俟冬令水涸再行補還不敢率

滋糜費所有臨湖執工缺口因跌塘較深是以
測探外灘淺處圈築越堰攔截惟兩頭進水河
形用料堵閉除西首河形寛三十九丈已於八
月初九日堵合斷流外尚餘東首口門一處原
寛六十三丈督率趕緊進占已做成五十四丈
尚存金門寛九丈進水已屬無多現將所築越
堰臨湖一面趕鑲護埽以禦湖浪其余家壩口
門因開放時漲水浩大一時宣洩不及於壩面
普漫而過是以刷成口門兩處中存磯心一道
南首缺口計長一百十四丈餘尺北首缺口計
長六十六丈水深自八九尺至二三丈不等臣
等分督道將等先將北首一處趕堵斷流其南
首口門寛闊處所就磯心盤頭兩壩進占亦已
做成五十三丈現存金門寛六十一丈五尺臣
等與在工各員公同商酌此時不難先將臨湖
執工全行堵合斷流惟因下游之余家壩過水
尚寛恐運口頭壩口門吸溜湧激倘頭二兩壩
不能穩固一有閃失又增糜費應將余家壩趕

緊進占收束藉資擎托與輓工口門同時相機
合龍庶頭二壩可以放心而壩門溜勢較平回
空漕船亦可經行無礙在工文武意見相同臣
等現在分督河營將備將佘家壩漏夜進占趲
辦尅期收束如式一面督催將禦黃壩以內所
挑河身加夫借宅勒限八月二十五日以前一
律全竣即啟放禦黃壩俾回空漕船最要遄行南下
據報截至八月初二日回空已入黃林莊境船
四十一幫計一千六百三十九隻後船尚未跟
接入境所有已抵中河楊莊運口各船挨次停
泊臣等派員彈壓巡防甚為寧謐計期八月底
啟壩放船不過旬餘即可渡竣比較往年渡黃
之期尚不為遲臣等惟有殫竭駑駘加緊趲辦
務令運口各工趕霜降前後一律妥竣回空漕
船早日歸次一俟挑工完竣回空渡黃另行馳
奏外所有智壩合龍節交寒露黃河水勢工程平
穩現在趲辦運口各工情形謹繕摺具
奏伏乞

皇上睿鑒再督臣鐵保現赴吳淞海口巡查是以未

及會銜合併陳明謹

奏

另有旨

嘉慶十三年八月 二十一 日

再臣等正在繕摺具
奏間承准軍機大臣字寄嘉慶十三年八月十四
日奉
上諭前據鐵保等奏現將禦黄壩堵合掣乾底水勒
限挑淤一面堵築輒工缺口尅期八月底可以啟
壩放船等語現在已交八月中旬距鐵保等所奏
月底放船之期不過半月所有築口挑淤等事業
已辦有幾成是否不致遲悞著鐵保等一面先行
奏聞一面趕緊儹辦愈速方妥若辦理延玩致回
空船隻在彼愈積愈多不能挽渡恐生别項可慮
之事或有凍阻不及歸次則惟鐵保等是問等因
欽此臣等當即飛咨督臣鐵保一體欽遵外伏
查河口煞壩挑淤回空幫船畧爲停待各情形
前經節次附摺奏蒙
聖鑒在案現在裡河之百子堂千根旗桿缺口俱經
堵閉完固淮安以下運河暢順深通臨湖輒工
口門亦已收窄船隻往来並無阻礙所有河口
挑工臣等督儹加夫趕辦已挑八成有餘定限

本月二十五日一律竣工凡應拆啟禦黃壩金
門及壩外灘面應抽溝槽俱已預爲趕辦一俟
挑工完竣即日啟壩放船現在洪澤湖存水一
丈零六寸惟黃水尚未大消較高清水二尺有
餘臣等深知回空歸次緊要未便久於停待公
同商酌並溯查歷年霜降以後水勢日綿迴非
伏秋渾濁可比現將河身已挑深至一丈有餘
不致再有淤淺有悮回空現在所有已入江境
船一千六百餘隻以每日過船一百四五十隻
計算尅期旬日可竣如果後船啣尾而來不致
脫幫於十月望間全行渡黃可以無虞凍阻臣
等惟有欽遵
聖訓加緊儹催務期速愈加速現仍一面行文漕臣
催令在後之浙江湖廣江西空船作速南下務
俾跟接渡黃則各幫可期及早歸次所有奉到
諭旨理合一併先行覆
奏伏乞
聖鑒謹

奏

另有旨

再臣等接准部咨南河投効捐辦土方事例業
經議定規條奏
旨著江蘇藩司胡克家專司收兌存貯等因現即欽
遵一面出示曉諭一面咨行撫臣汪日章藩司
胡克家遵照辦理並遵前奏
諭旨派令顏檢前赴蘇州會同該司經理稽核以昭
詳慎合併附摺奏
聞謹
奏
覽

六九九

奏

奴長齡奴文孚跪
奏爲籌酌西寧黄河北岸鄂倫布拉克地方防河
官兵請仍照舊安設以資彈壓仰祈
聖鑒事竊奴長齡與前任西寧辦事大臣那彦成去
歲辦理西寧番案善後事宜内請於黄河氷橋
結凍後派撥西寧官兵六百名並叅遊一員在
於鄂倫布拉克一帶来往梭巡俟氷化後撤回
原營奏蒙
俞允在案嗣於本年二月間氷橋開化之後隨經
奏明將防河官兵全數撤回仍酌留蒙古兵丁二
百名駐守一載以来各族野番極爲安静其番
目尖木贊都拉等仰蒙

皇上天恩加以鼓勵深知感奮率其族衆在於南岸
巡查亦甚出力惟是蒙古兵力懦怯無能雖遵
旨安設不敢短少而實不足以資防範努等體察番
族情形實因畏懼
天威聞風懾服現届秋深氷橋將結若僅令蒙古自
為防守誠恐又啟野番窺伺之心應請仍照去
歲章程派撥西寧官兵六百名並委叅遊一員
在於鄂倫布拉克一帶分段梭巡兵丁口糧鹽
菜照舊按日給發其蒙古兵丁亦仍令各旗撥
派四百名隨同防守並令尖木贊等仍在南岸
巡查俟明歲春融氷泮後酌撤至此項官兵將
來如何漸次減撤之處容俟今冬察看情形再
行定議努等惟當隨時籌酌辦理不使稍有疎
懈以期仰副
聖主綏靖邊圉至意所有籌酌西寧防河官兵應仍
安設緣由謹合詞恭摺具
奏伏乞
皇上睿鑒謹

奏

另有旨

嘉慶十三年九月初六日

奏

河東河道總督奴才馬慧裕跪

奏為查勘南岸下游四廳並北岸曹糧二廳河勢

順軌工程穩固緣由仰祈

聖鑒事竊奴才前將履勘南岸上游三廳情形繕摺具

奏後即由磨盤壩渡河後至南岸查蘭儀廳蔡家

樓一工形勢頂衝前兩年屢經著險均即搶辦

平穩本年因對岸灘嘴塌卸數十丈河勢展寬

頗為平順惟大溜漸次下移由戚村東注經前

河臣吳璥於七月間

奏明築壩廂護挑溜頗為得力現在形勢平順奴才

即自蘭儀前赴下游各廳沿河逐細查驗新工

據開歸道巴哈布所稟儀睢廳睢上汛三堡迎

水壩迤上新築挑壩一道廂埽三段雎寧廳雎下汛十三堡上年另案新工上首接廂新埽二段并詳加相度該二處均係逼近舊日龍門形勢皆屬喫緊現在大溜趨注埽前所廂埽壩足資保衛俱係應辦之工其雎寧廳河勢現走雎州下汛五堡迤東秋分以前塌灘甚緊現在溜勢漸開俟明歲伏汛時察看形勢如仍往裏卧再行築壩廂護又商虞一廳為南岸下游門戶與江南碭山接壤地勢本窪尤為緊要該廳所屬虞城下汛灘面甚遠本年白露前因對岸新長淤灘挑溜南趨該汛四十一堡存灘日塌形勢兜灣經該道廳稟明前河臣吳璥酌將圈堤南面幫築外戗順長四百丈並於四十一堡築做順水壩一道戗壩一道甫及竣工溜即塌至隨經該道督率廳營於兩壩各廂埽四段因溜勢仍復上提塌及堤坦又於順水壩迤上搶築蓋壩一道裹廂埽段藉以蓋護俾迤下各壩不致著重現在溜已拖順所廂各埽業已穩定惟

新生工段溜勢提坐不定恐尚有應須接厢埽
段必須料物應手方為有備無患業經該道巴
哈布撥發銀兩飭令該廳購備正雜各料存貯
各壩足數應用至北岸曹河廳屬曹汛六堡該
道王如金所稟接築順壩新工埽段俱已追壓
到底均極堅鞏糧河廳單下汛土壩所厢護埽
防風二百三十八丈亦皆一律整齊大溜現走
中流順軌東注普臻恬順洵足仰慰
聖廑至兩岸大堤為修防根本必須崇墉高厚庶修
守有資奴才沿途查勘本年盛漲水痕有堤頂僅
高水痕二三四尺者亦有本係沙土築成風雨
剝削漸形单薄者均應酌估增培奴才現飭黄河
三道詳加確估趁農隙之時人夫雇值較省乘
時興辦以資保障奴才仰荷
聖恩畀任河防重寄惟有殫竭血誠事事實心實力
敬慎修防並嚴察流弊既不敢惜費以悞工亦
不任藉工而糜費總期工歸核實
帑不虛糜以仰副

聖主慎重河防

訓誡殷諄之至意所有查勘豫省南岸下游及東境

黃河各廳工程穩固情形理合恭摺奏

聞伏乞

皇上睿鑒謹

奏

一切敬慎辦理勉之

嘉慶十三年九月　初八　日

七〇一

奏

河東河道總督努馬慧裕跪

奏為節交霜降秋汛安瀾豫東黄河各工普慶平

成恭摺奏

聞仰祈

聖鑒事竊照本年豫省黄沁二河水勢上游甘肅寧

夏府報長水三次陝州萬錦灘報長水五次武

陟縣沁河報長水八次極為浩瀚並有沁黄同

時並漲之時南岸各廳内如上南廳屬核桃園

蘭儀廳屬蔡家樓迤下戚村儀睢廳屬睢上汛

七八堡北岸祥河廳屬魁星樓十二三堡衛糧

廳屬衛工大壩四十埽以下曹考廳屬王莊壩

等處當河水盛漲時塌埽潰堤頗形危險仰賴

聖主鴻福
河神默佑每於緊急之際非河溜開行即水勢旋消
得以次第搶辦悉臻穩固山東曹河糧河二廳
河勢均極拖順茲據各道具報南北兩岸各廳
境内長水已陸續消落僅存數寸大河溜勢順
軌恬流兩岸著名舊險工段間長淤灘多有化
險為平之處其本年新工埽壩胥逐工按驗現
高水面六七八尺不等俱屬鞏固無虞九月初
四日正屆霜降吉辰胥在南岸睢寧廳工次躬
率道廳營汛虔詣
河神廟致祭並默陳
聖敬用酬
靈貺是朝天氣晴朗祥雲靉靆在工大小臣民莫不
異口同聲臚歡稱慶胥欣幸之餘倍深敬畏現
在雖過霜降而一切防守事宜不敢稍懈胥現
率各道逐廳挨查存工舊料切實勾稽酌核工
程之平險擬辦来年歲稽之多寡胥在省即與
撫臣清安泰籌商酌定飭令該司道撥發銀兩

速行採辦務於年内全數運工堆垛以符例限
如有遲逾短少及堆垛不實等事立即嚴行懲
辦不敢稍事姑容臣即由商虞渡河順查山東
糧河曹河二廳工料再與撫臣吉綸核計應辦
來年歲料數目即行飭辦以備工需所有豫東
黄河秋汛安瀾通工普慶緣由謹會同河南撫
臣清安泰山東撫臣吉綸合詞恭摺由驛具
奏仰慰
聖懷伏乞
皇上睿鑒謹
奏

另有旨

嘉慶十三年九月　初八　日

再據運河道稟報截至八月三十日嘉興衛幫船共入東境回空七十一幫在後僅剩二十幫如無脱空九月下旬總可全入閘河十月望前可以全出東境較上年可以趕早一月自不致有凍阻之虞謹附片奏

聞伏乞

聖鑒謹

奏

覽

七〇二

奏

臣吳璥托津跪

奏為遵

旨履勘河口及高堰各工並順道查看淮揚運河兩

岸堵辦各缺口情形恭摺具奏仰祈

聖鑒事竊臣等奉

命勘籌黃河海口並面奉

諭旨河口高堰情形應一併查看臣等於本月二十

五日將海口應復故道緣由會同督臣河臣具

奏即於拜摺後前赴清口察看清黃交滙處所湖

水高於黃水二尺有餘清水由禦黃壩外注測

量水深二三丈不等惟大河溜勢不甚湍急由

於黃河現在去路不暢而清水入運較多臣等

隨赴運口查運口向來建有頭二三草壩三道
頭壩之外有挑清壩有蓋壩原以蓋護運口挑
溜北趨其運口之內又有北爿頭南縴堤鉗口
壩老鸛嘴縴道並惠濟正越閘中間橫堤格堤
數道緣該處為淮黃橐籥必須層層鉗束使其
入運少而入黃多以收七分敵黃三分濟運之
益舊制極為周備今頭二壩口門較寬其餘各
堤壩尚未全補詢之河臣徐端那彥成因六月
初間臨湖磚工潰盤湖水入運過大以致運口
內之二三兩草壩及北爿頭老鸛嘴等處俱被
冲塌迨九月間磚工缺口堵合後湖水悉由運
口下注溜倍湧盛運口頭壩及蓋壩挑清壩全
行盤塌均經先後
奏明在案頭壩因金門跌成深塘至八丈有餘屢
經築做壩身不能站穩現經移向舊有蓋壩處
所作為頭壩較為穩妥俟頭壩做成後蓋壩挑
清壩均須補還等語臣等查頭壩水深溜急現
已做成新埽段均屬穩實惟金門尚寬二十餘

丈必須收至七八丈二壩金門尚寬十六丈亦
應收窄三壩並須補還方可層層擎托使入運
之水不至過多則滙黃之力方能暢達其餘沖
缺各堤埝内北岸縴道缺口及横堤格堤河臣
等於漕船回空時俱已先用柴土補築以通縴
挽惟惠濟閘迤上之老鸛嘴縴道北裏頭南縴
堤及磚工舊堤計錢糧料物同時趕辦不及須
俟頭壩余家壩築竣後次第興辦臣等與督臣
河臣面為商論河口與海口呼吸相關就目前
情形而論以上運口應補各工關係漕運往来
至為緊要且湖水入運得有限制始能多出清
口併力刷沙並與海口工程通塞相應均屬最
要機宜臣等於二十七日由河口渡至南岸查
看新築磚工缺口係就淺灘處所向外越做圈
築柴土壩計長四百餘丈業已穩固該壩迤東
即係余家壩缺口用埽堵築已做成一百七十
餘丈僅存口門八丈現在催集料物即可堵閉
合龍隨即循堤行至高堰查洪澤湖誌樁現尚

存水一丈一尺四寸在冬令已屬旺盛堰盱一
帶新舊磚石工有間段掣塌處所詢據廳營等
禀稱係前月二十八日及本月初八九等日連
次風暴所掣共塌損九百餘丈現在查估分別
賠修其有碎石坦坡數段偎護石堤俱未掣塌
臣等看至山盱五壩惟仁壩壩底完整其餘四
壩壩底均已冲壞所築柴壩土戧尚為寬厚可
資抵禦但湖水盛漲時勢不能不啟壩分減又
必使有節制方不至宣洩過多是以向設石滚
壩既可減漲保堤而清水仍可儲蓄前經督臣
河臣
奏明先修智信兩壩壩底實為應辦要務據徐端
言及現俟
奏定撥項催解到日即當趕辦臣等於二十九日
回至河口即乘舟南下清江浦舊運河尚未挑
復仍由玉帶河繞行而南經過清江浦迤西之
千根旗桿淮關迤上百子堂對過之七里濟平
橋三鋪高郵露筋祠以下蔡家潭各缺口俱已

堵閉斷流新工均屬穩固惟荷花塘一工前月
杪合龍後於本月初一日塌去十六丈又續塌
十丈現已築成八丈口門尚存寬十八丈那彥
成現在駐工督辦擬將西岸黨家營及荷花塘
對過兩缺口先行堵閉則荷花塘進水減少較
易堵合至淮揚運河東岸逼近城垣西岸臨湖
兩面皆水臣等順路察看一綫單堤卑薄殘缺
者甚多恐汛漲時難保無漫缺之虞洵於漕運
民居關係緊要督臣河臣前經遵
旨查勘亦尚未及修辦所有臣等遵
旨履勘河口高堰情形並順道查明運河兩岸堵築
漫缺各工緣由理合恭摺奏
聞伏乞
皇上睿鑒謹
奏

另有旨

嘉慶十三年十二月　初三　日

七〇三

軍機大臣　字寄

兩江總督鐵　江南河道總督徐　副總河那

嘉慶十三年十二月初九日奉

上諭吳璥托津奏履勘河口高堰各工並查看運河兩岸堵築漫缺各工情形一摺覽奏俱悉運口向建頭二三壩層層鉗束清水使其入運少而入黄多以收七分敵黄三分濟運之益今頭二壩口門較寬其餘各堤壩亦尚未全補以致不能擎托暢注總由該督等並不通盤籌畫僅爲目前補苴致將舊建堤壩殘缺不完而清水遂不能刷黄得力此時清水高於黄水二尺有餘尚未能源源暢達設清水稍爲綿弱豈不復有頂阻倒灌之慮現在該督等趕緊籌補並一面趕築各缺口自係刻不可緩之工同日遞到鐵保等奏勘明河口善後緊要各工関係重運情形一摺與吳璥等所奏大略相同

惟據稱趕築缺口及接築頭二壩補還三壩等工
於兩淮商捐項下動借銀四十萬兩尚不敷銀三
十萬兩現在就近咨商各關庫並於蘇藩庫允收
捐款銀兩內陸續借撥到工以應急需等語前因
鐵保等奏籌辦海口各工關係緊要需用銀二百
八十餘萬兩當經降旨飭令於商捐項下及河南
等省藩庫內酌量籌撥其有無尚不可知且前次
該督等祇稱海口各工緊要今則又稱運口各工
緊要請撥帑金且吳璥等摺內稱淮揚運河兩岸
一綫單堤卑薄殘缺者甚多亦尚未及修辦等語
國家經費有常各省動撥支絀安能以天下全力
專辦河工況（此時實屬拮据僅敷歲用全無盈餘迴）（非數年前光景矣）該督等節次請帑興修迄未一勞永
逸即使帑項足資接濟究竟何所底止現在部庫
實無可撥其商捐未撥之項祇有五百餘萬兩（除）該
督等惟應各矢天良悉心酌核除今夏所議新工（此再無可設法之處也）

此時無暇辦及俱暫從緩外即以商捐未撥之銀
籌辦南河至要之工孰先孰後朕亦不為遥制總
須先其所急斟酌妥辦務令一律完善明歲重運
經臨不致遲悞而黃河兩岸及堰盱堤壩各工不
致有漫缺之患方為妥善倘漕運或有稽遲工段
間有沖坍必將該督等治以貽悞之罪恐不能當
此重咎也凛之慎之將此傳諭鐵保等並諭吳璥
托津知之欽此遵
旨寄信前來

七〇四

奏

河南巡撫奴才清安泰跪

奏爲遵

旨查明參奏事竊奴才前次覆

奏查辦廣興一案摺内附片陳明沿途驛遞因風

雪甚大黄河凍阻以致遲延緣由欽奉

上諭驛站接遞諭旨理宜如期馳送即因風雪凍阻

亦何致遲逾三日着再詳查何處遲悞即參奏示

懲等因欽此當即行令逐站挨查去後茲據臬司

諸以謙詳稱查係延津縣於上年十二月十六

日子時五刻接到即差馬夫田有王立成轉遞

行至黄河因風狂雪大冰凍阻渡嗣該縣查知

親往集夫打凍拉船無如兩岸堅冰凝結中泓

大溜汹湧人力難施至十九日風勢稍息督令
馬夫扒氷上船始得渡過等情經該管道府查
訊明確由司詳揭前來芬復查阻凍雖係實在
情形但事關接遞限行四百里緊要之件乃逾
限三日六時殊非尋常遲悞相應參
奏請將延津縣知縣高崧
勅部照例議處以昭懲儆而速郵政為此恭摺
奏參伏乞
皇上睿鑒謹
奏

吏部議奏

嘉慶十四年正月　十九　日

七〇五

奏

江南河道總督臣吴璥跪

奏為恭報接印任事日期並現在黄河運口大概

情形恭摺具奏仰祈

聖鑒事竊照本月初七日臣於甘泉途次奉到

諭旨補授江南總河隨於初九日恭摺叩謝

天恩迨行抵清江會同臣托津於十四日將奉

旨交辦事件恭摺覆

奏後托津即起程回京臣即於十五日准副河臣

徐端將江南河道總督關防一顆並一應文卷

王命旗牌委官齎送前來臣恭設香案望

闕叩頭謝

恩祗領除照例恭疏

題報外伏查南河經管黄運湖河要工林立漕運
往来其中堤堰閘壩節宣利導機宜本極緊重
近年淮黄叠漲河患頻仍較之臣前次在任時
工程又多數倍情形迥不相同臣到任後詢之
督河諸臣並凡屬文武官民無不共深焦惕總
因黄河河底日淤日高去冬各廳報存底水較
往年又大二三尺不等乃河底擡高之明驗現
在高堰誌樁存水一丈零二寸以洪湖底水而
論已屬甚大尚不能敵黄較量黄河水面現高
湖水尺餘是以去臘即已倒灌至今清水未能
外注汛期已近以後情形更為可慮運口自佘
家壩堵閉後溜勢稍平惟因臘底撥鈎甫到各
工始能購料興修臣與督臣鐵保副河臣徐端
加緊嚴催頭壩又做成三丈現存寛十一丈尚
在上緊進占即可收如舊制二壩俟收至十丈
以内方能接做三壩其老鸛嘴北裏頭縴道東
清壩禦黄壩等工亦已派委員弁一面購料一
面分投趕辦運河堤工已據委員估報徐端現

往覆勘刪減即飭修築高寶運河間有淺澁處
所亦已飭令該廳營州縣妥辦擄巡漕臣喜敬
咨會南糧已於本月十七日渡江俟過淮後即
當料理渡黃加緊催儹不任稍有遲滯並將應
辦各工再爲次第籌計現值河工極敝萬難措
手之時臣雖多病衰年自揣事繁力弱惟念受
恩深重分應竭力捐糜斷不敢稍惜心神稍辭勞瘁
倍當黽勉支持會同督臣鐵保副河臣徐端盡
心熟籌或冀千慮一得漸次就理仰酬我
皇上高厚鴻慈於萬一至湖河各工實在如何敝壞
何處尚可酌辦何處難以急圖容臣逐一確查
即另行詳晰陳奏所有臣接印任事並現在黃
運河大概情形先行恭摺奏
聞伏乞
皇上睿鑒謹
奏

實力妥辦先其所急無如漕運河底淤墊實
係大病但受患已深豈能猝治必須熟籌良
策永遠可行方妥

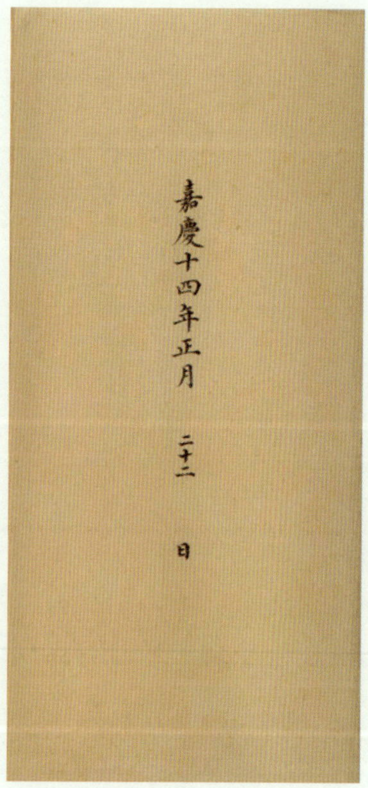

嘉慶十四年正月　二十二　日

七〇六

奏

河東河道總督臣馬慧裕跪

奏為運河水勢鋪灌充裕分委員弁催儹新漕並

前赴黃河兩岸巡防桃汛各緣由仰祈

聖鑒事竊臣前將酌定開放微山湖壩及泇河大壩

各日期會同巡漕臣英綸具

奏在案查泇河廳屬各汛閘挑工完竣後即於二

月初九日啟除湖口大壩照例暢放三晝夜鋪

灌東境八閘及江南邳宿一帶運河底水按照

向定章程鋪足五尺仍將湖口閘下板留漫板

水二尺八寸俾源源挹注以資接濟其臨清等

汛塘長河工段先經運河道王念孫前往駐工

查催茲據該道稟稱現已一律竣事量驗誌樁

灰印均與原估相符此次挑工比較歷年丈尺
均屬有盈無絀承辦工員極為奮勉並據開送
各員職名前來筭核其尤為出力者分别記功
以示獎勵一面飭令運河廳營於十七日啟放
汶河大壩鋪灌南北運河水勢上年冬季雨雪
應時泉源旺盛汶河水勢亦比往年較大查本
年南糧重運首幫揚州衛二三兩幫先已行抵
江境楊家莊昨經巡漕臣英綸前赴臺莊界首
迎提不日即可挽入東境現在湖河水勢充裕
足數浮送惟糧幫入閘後必須催儹得力始能
迅速筭已於首幫未到之前派委河標將備並
候補試用人員會同沿河印汛各官節節查催
不任稍有停留以期穩速前進早達
天庾上慰
聖廑再查本年二月二十一日清明即交桃汛現據
黄河各道稟報各廳臨黄埽段自上年霜降後
歷經凌汛間有卑矮段落應行加廂兩岸大堤
亦有應擬增培之處均須預為估計以禦汛漲

至各廳所辦歲料並已陸續堆垛齊全申請盤
驗等情前來奴才即於二月二十一日自濟起程
先赴兗沂道屬曹河糧河二廳查驗工料即從
曹河渡河至商虞廳屬虞城下汛江南交界起
由南岸挨廳逐處詳細履勘河勢情形工程料
物另行具
奏外所有運河水勢銷灌充裕並奴才起程巡防桃
汛緣由理合恭摺奏
聞伏乞
皇上睿鑒謹
奏

覽奏俱悉

嘉慶十四年二月　二十一　日

七〇七

奏

河東河道總督奴才馬慧裕跪

奏為擇要增培豫省黃河兩岸卑薄堤工以資捍

禦仰祈

聖鑒事竊照黃河南北兩岸大堤為修防根本每年

沁黃伊洛等河漲發奔騰下注全賴堤防鞏固

以資保障查自嘉慶八九兩年前河臣

奏請增培以來歷經數載節次盛漲漫灘堤根逐

漸淤墊蓋由下游江境去路未暢流緩沙停以

致河底遞次高仰兩岸堤頂愈形卑矮設遇漫

水出槽在在堪虞奴才於上年霜降往來各廳察

看情形必須將卑矮段落擬估增培惟兩岸大

堤灣環一千二百餘里若普律加幫需費寔屬

浩繁第於此次巡防桃汛又復詳加審度查驗盛漲水痕高下與各道廳營悉心計議凡係離河較遠及堤工較為高厚者均毋庸估計惟擇其堤身至矮形勢吃緊之處酌量增培以資捍禦茲據開歸河北二道確估開摺前來內南岸上南河廳鄭州汛四堡至五六堡大堤共估土工二段計方價銀三千八百餘兩下南河廳祥符上汛二十六堡起至三十堡大堤共估土工六段計方價銀五千四百餘兩儀睢廳睢州上汛東圈埝迎水頭壩壩身順水二壩壩身並睢上汛六堡挑水四壩起至七堡迤東大堤十堡起至十一堡大堤共估土工六段計方價銀五千三百餘兩商虞廳虞城下汛三十八堡起至三十九堡大堤三十九堡起至迤東圈埝頭大堤又自三十九堡起至四十八堡江南碭山交界大堤並圈埝四十堡西起至四十堡東新築戧工止圈埝埝身又大堤四十二堡東起斜向東北止應添格堤一道共估土工十六段計方

價銀一萬八千八百餘兩北岸黃沁廳滎澤汛二堡至五堡大堤原武汛九堡至十一堡大堤共估土工六段計方價銀五千七百餘兩下北河廳祥符汛十七堡大堤土工三段蘭陽汛新月堤九堡至十五堡大堤土工三段二共計方價銀六千三百餘兩曹考廳考城汛六堡至九堡十一堡至十二堡大堤共估土工六段計方價銀九千三百餘兩以上南北兩岸七廳共估加幫加高堤壩連堤頂子埝隨坦估計並添築子埝格堤等工共土二十七萬六千六百五十八方零方價不一共銀五萬四千九百五十五兩有奇等與各道再三酌核均係亟應辦理之工謹將應行增培堤壩段落及添築子埝格堤高寬長丈土方銀兩逐一聲明另繕清單恭呈
御覽如蒙
俞允所有此項土方銀兩即請於豫省藩庫內動撥飭令於大汛期前一律趕辦完竣責成該管道員親赴各工往來稽查務期層土層硪堅寔築

做隨時錐試如有虛鬆即行翻築不任稍有草
率仍俟具報完竣奴才親履驗收務期工歸寔在
帑不虛糜以仰副
聖主慎重堤防保衛民生之至意為此恭摺具
奏伏乞
皇上睿鑒訓示謹
奏

另有旨

嘉慶十四年三月　十七　日

七〇八

奏

河東河道總督奴才馬慧裕跪

奏為黃河水勢陡長南北兩岸工程平穩仰慰

聖懷事竊照豫東黃河水勢自桃汛以後除隨時長消相抵外現存長水自數寸至一尺五六寸二尺二三寸不等茲據陝州知州耿育仁馳報萬錦灘黃河於五月十四日酉時陡長水二尺現在長落未定等情同日據南北兩岸各廳稟報十四五等日長水一尺三寸及一尺五寸不等隄埽工程均極平穩除一面飛咨下游江境一體加緊防護外奴才查各廳臨黃埽段前經各道詳報於桃汛內分別加廂高整現在出水均有七八尺及一丈不等堪資捍禦歲防稭蔴料物

亦據各道盤驗購辦齊全足敷備用等先因入
伏在即已飛飭黃河三道各赴工次住劄督率
廳營小心防守並派委候補佐襍各員前赴各
廳分段協防務使處處工堅料足時時周密巡
查以期萬全周妥仰慰
聖懷等俟河湖水勢料理暢順漕行無悞再行
奏明赴豫巡防大汛所有萬錦灘黃河水勢陡長
及工程平穩緣由理合恭摺奏
聞伏乞
皇上睿鑒謹
奏

另有旨

嘉慶十四年五月　十九　日

七〇九

奏

臣鐵保臣吳璥臣徐端跪

奏為夏至節後黃河水勢驟漲各工修防平穩恭

摺奏祈

聖鑒事竊照江境黃河本年桃汛以後水勢旋長旋

消工程平穩情形節經奏蒙

慈鑒自五月初十日節交夏至江境沿河一帶澍雨

頻沾水勢日見加長接據上游河南陝州馳報

萬錦灘于五月十四日酉時陡長水二尺江境

之蕭南豐北銅沛等廳具報五月十六七八九

等日陸續共長水三尺八九寸徐城以下各廳

報長水三尺二三寸至四尺二三寸不等外河

順黃壩河口一帶長水尤為浩瀚所有上下游

各廳迎溜頂衝埽壩先經臣等督令道廳等廂
修堅整足資抵禦間有因水長溜湧稍見刷蟄
埽段均經隨時趕緊加廂尚俱一律平穩自宿
南北以上各廳大河溜勢趨向如常惟桃南廳
之高家灣埽工迤下溜勢下卧刷及堤坡經淮
揚道葉觀潮督飭該廳營趕廂挑壩將大溜挑
住得臻平定現仍飭令集料備防不任稍有大
意其河口以下大溜東趨仍由山安廳北岸雲
梯關外馬港口張家莊分趨灌河歸海臣等屢
經差探形勢亦無改移現在尚不致壅遏至洪
澤湖自五月上旬以来共長水一尺二寸高堰
誌樁現存水一丈二尺二寸察看湖心飽滿其
力漸旺惟因黄水連日長發更盛是以仍未能
外注此次長水既大且自十五六日至二十一
等日風雨甚猛河湖各工均關喫緊幸俱得保
穩固二十三四日外河順黄壩已報落水九寸
溜亦稍平以後汛期正長尤須處處慎密防守
臣鐵保現在駐工會同臣吳璥臣徐端督率道

將廳營各員實力防護一面嚴催各廳添購料
土以資儲備寬裕並遴派効力人員分投節節
駐守上下巡查務臻鞏固以期上紓
慈廑除將催趲江廣尾後幫船渡黄情形另摺具
奏外所有夏至節後黄河長水各工修防平穩情
形理合繕摺奏
聞伏乞
皇上睿鑒謹
奏

大汛方至敬慎勉力辦理

嘉慶十四年五月　二十五　日

七一〇

奏

河東河道總督奴才馬慧裕跪

奏為黄沁洛各河水勢疊漲搶辦廳下汛埽工平

穩並衡工大壩裹頭埽暫緩加廂各緣由仰祈

聖鑒事竊奴才於六月初二日接准軍機大臣字寄内

開欽奉

諭旨黄河水勢現在萬錦灘陡長二尺雖工程俱甚

平穩但指日伏汛防守緊要不可稍有大意馬慧

裕著即遵照前旨赶緊赴豫督率道廳等加緊巡

防是為至要等因欽此奴才當即欽遵於初二日自

濟起程

奏明在案查本年萬錦灘黄河前於五月十四日

陡長水二尺之後又於三十日續長水二尺五

寸武陟縣沁河於六月初二日陡長水一尺四
寸鞏縣洛河於六月初十日陡長水一尺五寸
各河先後疊漲比上年初伏時水勢較為浩瀚
據南北兩岸各廳陸續申報積存長水自二尺
餘寸至五六七尺不等等於每次長水細加核
對上游各廳旋長旋消尚無傳損惟下游各廳
消水未能迅速積存長水稍大自係江境去路
未能深暢所致現在雖未出槽漫灘此後長水
靡定正須加緊防守等起程後先自山東兗沂
道屬曹糧二廳履勘情形查曹河廳魏家埠道
險工淤灘日遠溜愈下移時在曹下汛六堡順
壩迤下塌崖裏臥糧河廳溜走單下汛三堡上
下提坐不定塌灘甚緊經該道王如金督率各
廳營體察形勢擬於曹河廳曹下汛順壩迤下
估築挑壩二道糧河廳單下汛三堡西舊魚鱗
壩一百六十丈擬估加幫高厚並於堡房迤東
估築挑壩一道三堡迤下四堡堤身估築土壩
三道以備溜至攖護等親履確勘該處堤身單

濤灘崖殊不足恃均係應辦之工已飭令確估
興辦除俟酌定壩身高寬長丈核實土方銀數
另行繕單具
奏外奴才於糧河工次接據開歸道林樹芳稟稱商
虞廳虞城下汛四十一堡新工蓋壩迤上因對
岸單下汛七堡河勢坐灣挑溜直趨虞下汛四
十堡該道林樹芳前因該處圈堤土性沙鬆估
築挑壩一道以資抵禦正在興辦間溜已逼注
塌灘漬堤情形喫緊就順堤趕築壩臺用船摟
護奴才聞信即帶領曹河協辦守備許進昇由糧
河單下汛渡河親往督辦該道林樹芳亦已趕
到調撥兵丁料物率同廳營等晝夜搶辦做成
門埽廂頭護崖四段幸工料錢糧應手隨蟄隨
廂均已追壓穩實堪以抵禦惟新生之工溜勢
提坐不定奴才現留該道林樹芳住工隨時察看
辦理如溜勢漸往外移不致傷及堤坦得緩且
緩撙節物料留為秋汛緊急之用奴才因上游各
廳河水節次報長即從商虞沿河溯查而上順

至省城與撫臣恩長籌商防守事宜撫臣亦深
知河防緊要視同一體與督詳加討論虛懷商
榷並飭沿河各府州縣如遇長水及搶辦險工
親自上堤協同修守所有應用防險夫車等事
業已循例派撥極為周密督即自省城至上南
河廳查上年搶險之核桃園河勢現已平順其
新頭壩間有蟄矮埽段亦已一律加廂高整督
於上南河廳逐次據河北道莊振泉報衞糧廳
衞工大壩西首壩頭著溜連蟄兩埽等情當即
馳抵該工察看大溜堆注壩頭甚為湍激查大
壩接連西圈埝之處上年潰塌後壩頭即已著
溜本年桃汛內經前撫臣清安泰親詣勘查會
同督
奏明廂埽四段裹護壩頭並於二壩之外圈築越
埝以為重障越埝之外又估築挑壩三道以備
溜至廂護原因大壩挺峙河心與水爭地勢難
修守是以為此預防之計今溜勢全力趨注壩
頭即再將所蟄之埽照舊補廂亦難穩實必致

藝廂不已多糜錢糧且查現在河勢情形與桃
汛不同大溜自西而來直頂大壩裹頭若不任
其塌寬轉致兜溜北卧越埝挑壩在在喫重自
應將裹頭暫緩補廂俟大壩再塌二三十丈形
勢已順再行裹護庶錢糧既可節省而河勢亦
更拖順詢之營備弁兵及年老土人所稱亦屬
相同隨飭該道廳營暫緩加廂隨時察看相機
辦理以期穩妥其大壩所塌之裹頭埽二段未
經保固伏秋大汛所用工料未便准銷應請即
令該廳照數買補還欵以歸核實至兩岸各廳
本年
奏明增培堤壩土工其已報完竣者挐沿途錐試
尚俱如式間有硪築未能堅實之處俱令翻築
重硪夯打報候覆驗統俟挐查竣北岸各廳土
埽工程再行恭摺奏
聞所有黄沁洛河長水情形並搶辦廣下汛埽工穩
實緩廂衛工大壩裹頭各緣由謹繕摺具
奏伏乞

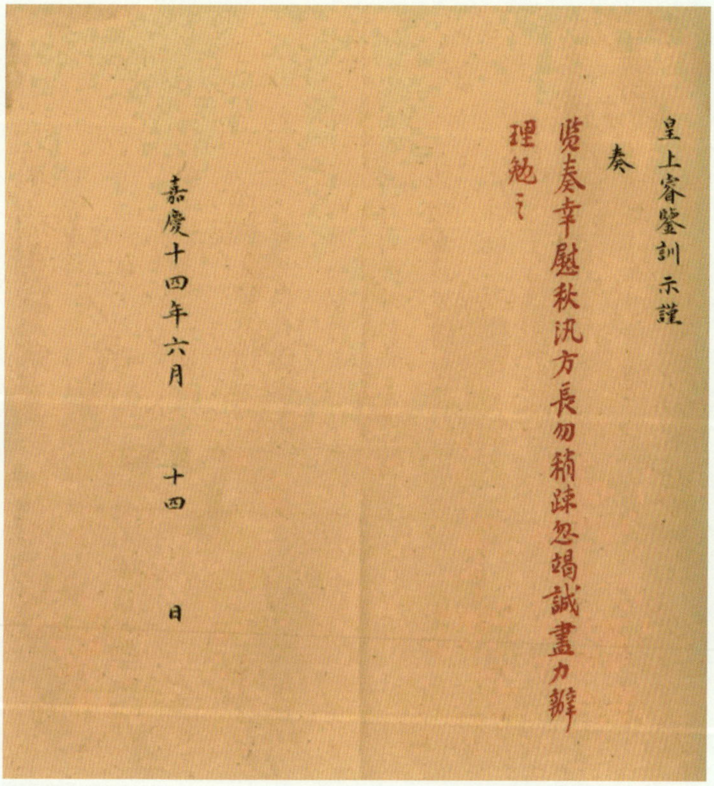

皇上睿鑒訓示謹

奏

覽奏幸慰秋汛方長勿稍疎忽竭誠盡力辦理勉之

嘉慶十四年六月　十四　日

奴才馬慧裕跪
奏再本年六月初一日已屆初伏誠如
聖諭黄河防守事宜關係緊要奴才自應迅即赴工巡
防現據黄河各廳稟報自十四五日長水之後
所有應行加廂埽段並兩岸土工俱將次完竣
奴才一路親往查驗總須工臻穩固在在平寧仰
仗
皇上洪福河流效順德水安瀾奴才督率道將等員實
力防護一切情形隨時具
奏奴才拜摺後即於初二日起程前往防汛惟豫工
距東省較遠河務漕務現當喫緊之候奴才兩月
以來留心察看巡漕臣趙佩湘潔已辦公不辭
勞瘁奴才惟諄囑趙佩湘遇有緊要機宜會同運
河道王念孫妥商籌辦奴才亦藉收公益撫臣吉
綸駐劄省垣並可就近兼顧所有隨後三進尾
幫全數入東例由巡漕臣趙佩湘會同漕臣薩
彬圖鎮臣多隆武具摺奏
聞仰慰

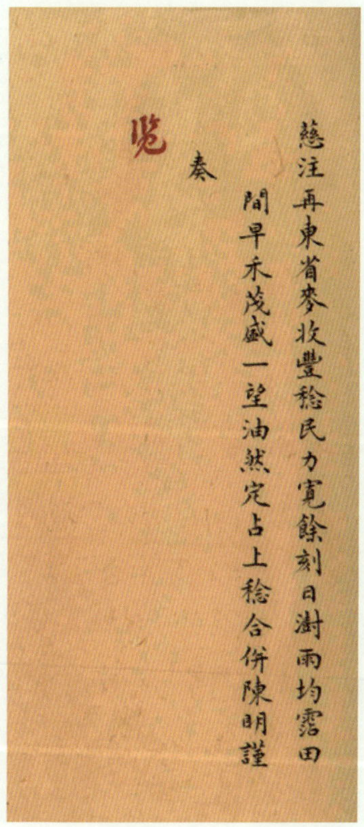
慈注再東省麥收豐稔民力寬餘刻日澍雨均霑田
間旱禾茂盛一望油然定占上稔合併陳明謹
奏
覽

七一一

奏

河東河道總督奴才馬慧裕跪

奏為勘查兩岸各廳土埽工程並沁洛大河水勢

續漲各工廂護平穩緣由恭摺奏

聞仰祈

聖鑒事竊奴才前將到工巡防大汛搶辦虞城下汛埽

工並綫廂衞工大壩裹頭各情形具

奏在案查連日衞工大壩續塌十餘丈形勢漸次

稍順奴才即赴下游祥河下北曹考等廳逐工挨

次覆勘上游各廳河勢雖比桃汛時畧有更變

埽壩各工尚俱平順惟曹考廳屬王莊壩大溜

坐至下三壩在頭二兩壩空檔内騰激塌灘傷

及壩垣情形緊要經該廳營接廂護埽四段捍

銜極為得力該道莊振因王莊壩皆係新工溜
勢提坐不定於各壩運貯料物處處均有防備
是以此次廂辦埽工諸得應手又南岸中河廳
屬中牟下汛二三堡順堤埽段綿長多有嘉慶
四年七年舊埽在在朽腐據該道林樹芳於本
年桃汛内稟明六七八等埽業已刷盡滙及堤
根補廂新埽三段等昨於南岸親詣查驗所廂
之埽尚俱高整惟大溜現在緊注該工上提下
坐舊埽時復塌蟄應再於新埽上下酌量補廂
埽二三段方資抵禦現飭該道廳隨時相機辦
理至虞下汛新工所廂門埽藏頭等四段據該
道廳稟報因疊次長水大溜倍為激湍復行蟄
裂該道林樹芳督率廳營晝夜搶護備弁兵丁
人人奮勇仰邀
聖主洪福
河神垂佑溜勢下移隨即趕壓重土埽段皆已坐實
不致滙塌復於新埽上下接廂雁翅及護崖埽
三段一律穩定可保無虞其南岸上南下南儀

睢商虞北岸黄沁下北曹考七廳增培堤壩土
工内北岸三廳工段俱已完工錐試量驗均屬
如式丈尺亦皆敷足南岸四廳間有翻築之處
現已陸續報竣先令該道林樹芳逐工驗看如
果一律堅實務再於查工之便前往驗收鞏縣
洛河於六月初十日報長之後十一日又接長
水一尺五寸武陟縣沁河於十三日長水二尺
八寸十六日又長水一尺三寸十九日長水二
尺二寸陝州萬錦灘黄河於十五日陡長水三
尺二寸此次各河長水大而且驟豫東各廳每
次長水二三尺不等所幸各河皆係先後長發
並非同時並漲尚堪容納現惟蘭儀儀睢曹考
及山東曹河糧河等廳均有出槽漫灘之處串
水直抵堤根在工大小員弁不分河工地方俱
各上堤周密巡防設法疏導現已逐漸消落惟
汛期正長水勢長消靡定務惟有督率各道廳
營殫竭血誠悉心經理俾處處有備無患時時
敬慎籌防不敢稍有大意以期工固瀾安仰副

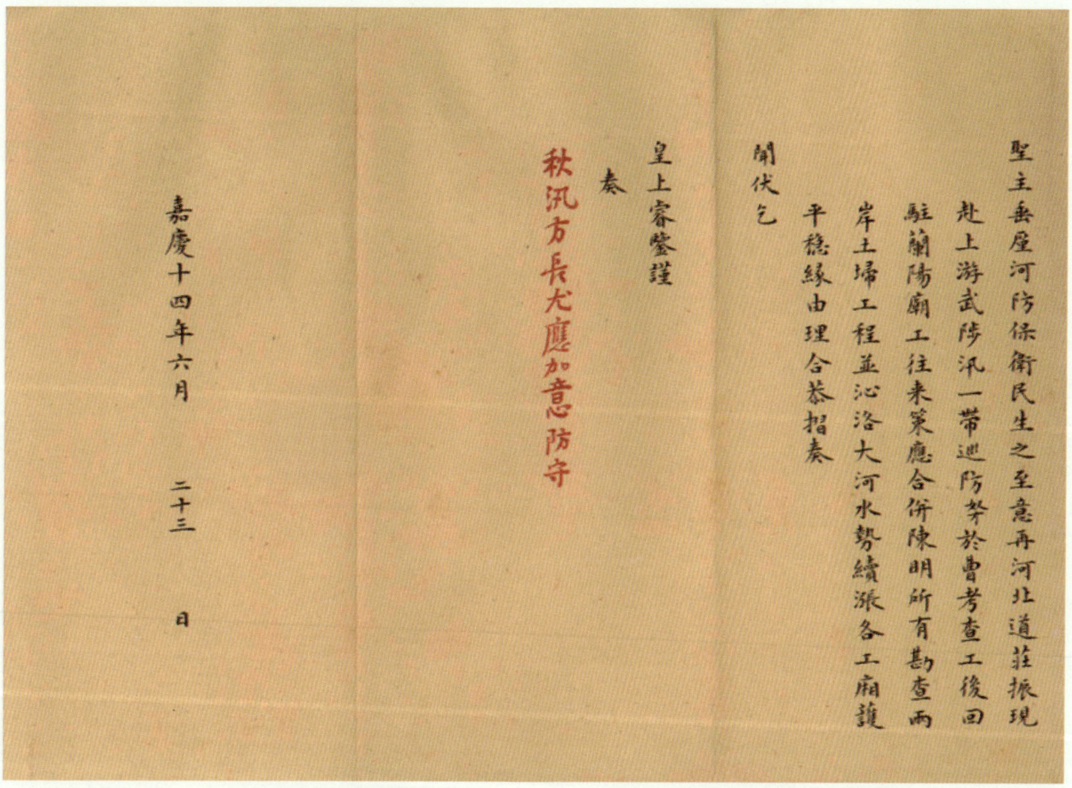

聖主垂廑河防保衛民生之至意再河北道莊振現
赴上游武陟汛一帶巡防勞於曹考查工後回
駐蘭陽廟工往來策應合併陳明所有勘查兩
岸土埽工程並沁洛大河水勢續漲各工廂護
平穩緣由理合恭摺奏
聞伏乞
皇上睿鑒謹
奏
秋汛方長尤應加意防守
嘉慶十四年六月　二十三　日

七一二

奏

臣鐵保臣吳璥臣徐端跪

奏為欽遵

諭旨熟籌經久之策恭摺覆

奏仰祈

聖鑒事竊臣等于六月二十一日承准軍機大臣字

寄嘉慶十四年六月十五日奉

上諭鐵保等奏入伏後黃水加長各工搶護平穩一

摺據稱近年黃河下游河底日漸淤高無分減異

漲之路一經長水堤埽工程處處著重等語黃河

河底淤高乃全河受病之源惟有束水攻沙最為

上策若果清能敵黃兩岸堤工鞏固水無旁洩不

但清水可以刷滌淤沙即黃水暢行河泓亦必日

漸深通此事關係國計民生甚鉅該督等總當熟
籌妥議務得經久無患之策方爲有益能將病源
除去勝于逐處補苴也等因欽此臣等跪讀之下
仰見我
皇上洞燭南河最要關鍵
訓示至爲明切臣等欽感服膺莫可言喻伏查江南
黃河河底淤高誠如
聖諭乃全河受病之源嘉慶七年以前淤墊在徐城
以上至八年而河底刷深八年以後淤墊在桃
源以下其淤墊之由總因漫溢旁流所致河底
既墊則水面因之擡高一經長水堤埽在在著
重欲求疏治之方斷非人力所能挑浚搶束水
攻沙之外別無良策
聖訓煌煌實爲千古不易之論但黃河底高湖水何
能暢出欲清水外出必須河底刷深欲河底漸
除此別無良法
深必須海口通暢此又治病之本現在舊海口
未經挑復黃水由馬港河缺口入灌河歸海之
路臣等屢經派員測探雖不至壅遏而流行散

漫究屬不暢查洪澤湖清水向年長至九尺以
上即能外注現已長至一丈三尺六寸而河口
黃水尚高于清水四尺餘寸是湖水一時斷難
暢出清口且運口一路亦為倒灌所阻倘湖漲
過甚高堰山盱石堤吏屬堪虞臣等日夕焦灼
再四熟籌祇可將河口之禦黃壩堵閉不使黃
水內灌則湖水尚可由運口頭壩下注庶湖內
不至過漲而淮揚運河〔是〕亦得藉以刷滌且黃水
專力東趨亦可望其溜行較暢河泓不致增淤
俟回空漕船入境時察看清黃水勢之强弱再
為拆壩行船似屬兩有所益然此亦係值此極
敝之時病源未能救治不得不為補苴目前之
計至于經久良策臣等欽遵
睿訓通盤熟籌究以挑復海口舊路為釜底抽薪之
正辦其上游毛城鋪減壩前議停辦固為慎重
起見而汛漲究無分減之路下游之王營減壩
山盱五壩又俱未修復目擊河湖漲盛絕無操
縱之方僅恃堤堰埽壩儘力防守誠如

訓示不過逐處補苴何能病源除去上年春間經臣
鐵保博採衆論分款具
奏並經臣徐端將曾同前河臣戴均元平時籌議
緣由遵
旨議覆相同無如各漫工堵築不遑已越一年舊制
無暇修復本年正月內臣吳璥抵任後復將全
局敝壞遽難補救實情詳晰奏蒙
聖鑒各在案臣等刻思立除河患庶可稍報涓埃奈
全河已受病太深一時無從措手祇可先其所
急暫顧目前總須秋汛能保安瀾方可次第籌
辦如果數年水無旁溢始能百病漸去冀復舊
何法能使數年無旁溢
觀臣等自揣材識駑下遠不及前人萬一而受
病棘手情形殆有過之深愧無能萬分焦懼現
在惟有殫竭血誠盡力防守但能秋汛後瀾安
水落庶有轉機即將臣等原議應辦各工再行
分別奏請
聖訓辦理以圖經久之計所有臣等欽遵
諭旨公同籌議緣由理合據實覆

奏伏乞
皇上睿鑒訓示謹
奏
另有旨
嘉慶十四年六月　二十五　日

七一三

奏

臣鐵保臣吴璥臣徐端跪

奏爲黄河水勢盛漲各工搶護平穩情形奏祈
聖鑒事竊照入伏後水勢叠長情形節經繕摺具
奏在案伏查河南萬錦灘據報五月十四五月三
十等日共長水四尺五寸沁河兩次報長水二
尺二寸又於六月十三日陡長水二尺五寸洛
河亦報長水一尺五寸皆滙流江境自五月十
五日以後江境黄河長多消少六月初五日以
後積長不消徐城誌樁連底水共長至二丈一
尺比較上年盛漲之日計大一尺桃南北及外
河廳境較大一尺二三寸至一尺七寸向年從
未上水之高灘悉皆普漫甚爲浩瀚幸黄河兩

岸大隄節次仰蒙

聖恩發帑培築然現高水面多則二三尺少則尺許
不等宿北桃北兩廳屬處處水至隄根風浪汕
刷間有滲水坐蟄而桃北廳崔汎兵三堡以下
之九里岡至王家房一帶灘水尤為寬闊隄坡
刷蟄情形險要臣徐端親駐北岸上下督飭該

廳營等分投飭節趕鑲防風搶護並將大隄出
水較矮者酌加子堰其隄坡滲水者幫築裡戧
添派劾力候補各員漏夜儹辦以資抵禦宿北
廳屬之皂河汎葉家莊迤上淤閉舊工因大溜
偏趨於灘潰塌舊埽立時刷去亦經搶鑲新埽
一百餘丈得保無虞中河遙隄亦有滲水並派

員前往搶護上游銅沛廳境南岸之九里溝南
山窪北岸之大壩汎等處均因水勢漫灘於大
隄之上搶加子堰抵禦又豐北廳屬之豐工六
堡舊壩及賈家樓園隄舊埽淤閉多年此次灘
水汪洋浸及隄根已飭徐州道張鼎前往查勘
撙節酌鑲防風俾資捍禦並飭遊擊孔成在於

宿南睢南等廳幫同防護其下游山安海防外
河桃南等廳臨黄各埽壩大溜所注間有平墊
隄工亦多出水卑矮之處高堰山盱均關緊要
臣吴璥與臣鐵保督率淮揚道葉觀潮及該叅
遊等分投辦理並委降補知府鰲圖及投効道
府中能事者随同幫辦至上下游各工一切應
撥錢糧並商同康基田督飭河庫道徐炘撙節
給發俾得應手仍遴派候補廳汛多員分往各
廳飾節梭織巡查以期防範周密查本年黄水
盛旺上游祗有天然閘峯山二三閘稍為分減
業已飭令啟放據報豐蕭銅沛等廳水見消動
本日辰刻河口已報落水四寸再得大消即可
放心計自五月以来黄河已長水四次增長既
大且停滞較久幸賴
皇上慈庇工程尚俱平稳而臣等日夕焦懼實不敢
片刻稍懈惟有欽遵
睿訓竭力籌維以期保守安瀾上副
聖慈諄切告誡之至意所有黄河水勢盛漲各工搶

護平穩情形理合繕摺具

奏再據報江西尾幫漕船及湖南頭二兩幫俱已

儹出江南黃林莊境在後僅有湖南三船一幫

計日即可全數出境其下游揚河廳境內汜水

一帶水淺處所經臣等飭將西岸竹絡壩於本

月十七日堵閉並將東岸各閘洞悉行閘板正

河水勢加長商民舟楫當即通行無阻合併陳

明伏乞

皇上睿鑒謹

奏

另有旨

嘉慶十四年六月　二十五　日

七一四

奏

臣馬慧裕臣恩長臣吉綸跪

奏為恭報豫東黃河伏汛安瀾各工平穩仰慰
聖懷事竊查本年入伏前後萬錦灘黃河長水三次
沁河長水六次洛河長水二次奔騰滙注極為
浩瀚所有長水尺寸及隨時防護情形節經臣
馬慧裕
奏報在案今歲伏汛各河長水雖大而且驟所幸
俱係先後漲發前水已消後水始至是以尚無
壅盛之患即間有迎溜吃重處所搶辦新埽及
舊工塌蟄補廂埽段仰邀
聖主福庇每當緊急之時非溜勢開移即雨止風恬
均得乘勢搶辦胥臻鞏固本月二十七日節交

立秋據各廳稟報現存長水三尺餘寸至六七
尺不等其蘭儀儀睢曹考曹河糧河各廳漫灘
串水先經飭令設法疏消並繁枕掛柳攩護現
已陸續消退低窪之處一律澄淤惟伏汛雖過
秋汛方長尤應倍加敬慎小心周密防護臣恩
長臣吉綸當嚴飭沿河州縣每遇水長喫緊之
際親身臨工協同辦理臣馬慧裕往来上下督
察隨時策應總期有工均臻平穩不致一處稍
疎一時稍懈以仰副我
皇上慎重河防保衛民生之至意所有豫東黃河伏
汛安瀾各工平穩緣由謹合詞恭摺由驛馳
奏仰慰
聖懷再臣接據開歸道林樹芳稟報商虞廳商卯汛
十八九堡一帶河勢兜灣距堤切近一經著溜
形勢喫緊亟須預為防範擬將該汛大堤自十
八堡內兵堡起至十九堡陵家灣止北面幫寬
四丈五尺高八尺五寸與堤頂子埝相平再於
陵家灣至十九堡堤身兜灣之處估築土埝一

道取直形勢既免兜溜入袖又足藉資重障等
情查該處堤工本屬單薄臣馬慧裕甫自該汛
十九堡履勘溜勢距堤尚有數十丈詢之年老
弁兵土人據稱該處原係舊日河身最為緊要
自應預為籌備所有估築土埝及加幫大堤土
工應請即行興辦除飭令核實估計另繕清單
具
奏外合併附陳伏乞
皇上睿鑒謹
奏

欣慰覽之

嘉慶十四年六月　二十九　日

七一五

奏

三品頂戴河東河道總督奴才馬慧裕跪

奏為黄河疊次接漲兩岸堤埽各工搶護平穩緣

由恭摺具奏仰祈

聖鑒事竊奴才前將萬錦灘於立秋日陡長三尺水勢

湍激情形恭摺奏

聞在案入秋以後七月初一日長水二尺九寸未及

消退初三日接長水二尺沁河亦於初六日接

長水一尺二寸數日之内據兩岸各廳陸續稟

報積存長水至七八尺不等查此次大河疊漲

因前水未經消盡後水繼至是以稍形壅盛數

年來向未漫灘之處亦間有水上灘面堤埽工

程在在喫重當經飛飭各道加緊防護奴才即上

下往来策應行抵祥河廳屬祥符汛十四堡工
次查該處本係兜灣頂衝因河水驟長溜勢湧
激致將七壩及上首空檔嘉慶十一年護崖舊
埽刷蟄八段並塌傷該壩迤下堤坦先經河北
道莊振調撥兵夫運集工料督與該道廳營正
在廂辦間又據開歸道林樹芳稟報儀睢廳屬

睢州上汛東圈埝河溜逼注將埝外之順水二
壩七八兩埽並挑水三壩埽工三段魚鱗頭壩
舊埽三段先後塌陷該道聞信即親往督率廳
營次第搶補新埽八段業已穩定溜勢下坐至
魚鱗二壩形勢稍緩該道因蘭儀廳屬蔡家樓
工尾上年冬間估築新挑壩一道伏汛後河水

疊漲漬及壩身當經搶護裹頭埽二段藏頭埽
一段現在河勢仍見下坐塌傷堤坦順長三十
餘丈情形緊要該道仍回蘭儀察看河勢緊逼
堤根該處自戚村埠道東起至舊土壩止舊堤
長七十六丈甚形單薄隨即一面於舊堤南面
趕緊加幫加高一面於臨河搶做護堤埽工四

段先行倸衛並於上首添築挑壩一道搶廂裹
頭護埽三段大溜始得漸次挑開其曹考廳屬
王莊壩下三壩前次新廂護埽四段之下本有
空檔溜復裹卧　當今河北道莊振馳往相機
搶護兹據稟報於四埽下接廂護埽二段溜已
拖順惟王莊壩究係新生工段大溜提坐不定

擬於工尾添築土壩一道俾可挑順溜勢庶下
不致多生工段　於祥河廳七壩埽工補廂完
善後即赴上游衛糧廳衛工大壩勘查此次盛
漲西圍埝頭業已廂護裹頭埽三段抵禦甚爲
得力又該處漫灘水已至新築越埝埝根積存
二三四尺不等業經該道擇要酌估防風以免

鼓蕩掣刷以上土埽各工統俟廂辦完竣另繕

清單恭呈

御覽其餘各廳工俱平穩料物足資備用　仰沐

天恩畀任宣防重寄惟有恪遵

睿訓敬慎修防既不敢惜費以悞工亦不任藉工而

糜費總期省所當省用所當用並隨時切實勾

稽以杜積弊仰副

聖懐所有交秋後黄河疊漲兩岸堤埽工程脩護平

穩緣由理合恭摺具

奏伏乞

皇上睿鑒謹

奏

知道了

嘉慶十四年七月　十九　日

七一六

奏

河東河道總督臣陳鳳翔跪

奏爲欽奉

諭旨先行覆

奏仰祈

聖鑒事竊臣於本年八月初九日酉刻途次承准軍

機大臣字寄奉

上諭馬慧裕等奏工程平險情形今昔不同請劃分

汛地工段以專修守並酌撥兵夫以均力作一摺

豫省黃河南岸額設文武汛員分管隄工埽壩向

有一定段落惟現在大河溜勢趨向無常工程平

險亦非一致馬慧裕等所奏開歸河北二道所轄

各汛工段繁簡互異擬酌量分別改撥以專汛守

並將兵夫等均匀力作之處自當因時制宜妥為
經理陳鳳翔履任在即著於到豫後親行覆勘情
形將如何劃分工程界址及改派弁員抽撥兵夫
數目均一併詳悉定擬具奏再降諭旨馬慧裕等
原摺並著發交閱看將此諭令知之欽此遵
旨寄信前來仰見我
皇上慎重修防之至意伏念河工官守兵夫自應因
地制宜斟酌盡善期收實效臣抵任後將應辦
一切緊要事宜料理數日即赴兩岸詳細覆加
查勘其應如何劃分工程界址及如何改撥弁
員抽撥兵夫之處再行悉心擬議具
奏恭請
聖裁所有接奉
諭旨緣由謹先繕摺覆
奏伏乞
皇上睿鑒謹
奏
知道了

嘉慶十四年八月　初十　日

七一七

奏

臣阿林保臣吳璥臣徐端跪

奏爲堵築山陽運河狀元墩壩工並趕挑下游河身尅日可竣黄河洪湖一律穩固各情形仰祈

聖鑒事竊照山陽縣境運河西隄遠年涵洞塌陷過水情形前經繕摺具

奏在案查該處水底既有廢涵洞必須起除淨盡方免後患當即多雇水摸人夫下水將硬土軋塊盡行起除並撈出腐爛板片甚多板上刻有江寧廠字樣未詳何年所築該處續塌四丈共寛二十三丈現已盤做裹頭並先進一占口門僅存寛十六丈連日正雜各料陸續到工本可趕辦數日即可堵閉惟缺口以下正河連年黄

水倒灌停淤較厚已成板沙水力驟難沖刷高
寶一帶正河每形淺澀間有高仰段落上游水
勢到此壅阻流行不暢今值河身淺涸正應趁
此煞壩挑宅以除舊病但自裡河平橋汛至高
郵之六滿閘一帶止計長一百六十餘里若大
加興挑不但工費浩繁且土方過多即趕緊挑
辦亦需四五十日方能蕆事現屆回空緊要勢
難久待臣等再四籌酌祇可分别擇要撙節辦
理雖不能全起舊淤而水到已有迅流之路可
冀藉水刷深現已遴派熟練挑河之文武員弁
劃分九十餘分專委原任江寧藩司楊蘐會同
淮揚道葉觀潮督催漏夜儧辦俟挑有六七分
工程即將該壩慎重進占計期九月半前定可
告竣回空不致遲悮臣阿林保會同查看該工
已有眉目不難尅期竣事即於初三日移交篆
務初四日起程進京除臣吳璥接署督篆另行
專摺差齎恭謝
天恩外所有山陽縣境運河西岸缺口尅日可竣情

形及臣阿林保交卸起程日期理合會摺具
奏至黃河各廳連日據報水勢見消工程一律平
穩洪澤湖隄工亦俱鞏固合併陳明伏乞
皇上睿鑒謹
奏

覧奏稍慰回空最要斷不可遲妥速勉力辦理

嘉慶十四年九月　初三　日

七一八

奏

奴才松筠文孚跪

奏為公同札商遵

旨酌減西寧黃河北岸鄂倫布拉克地方防河官兵

緣由仰祈

聖鑒事竊奴才文孚於上年九月內會同前任陝甘總

督長齡具

奏俟冰橋結凍後黃河北岸仍照十二年派委遊

擊一員帶領官兵六百名防守以資彈壓一摺

欽奉

諭旨此次著姑照所請行嗣後著該督等察看情形

將此項官兵逐年漸次減撤並諭知蒙古令其努

力自強勿稍疎懈等因欽此欽遵應請本年冬間

氷橋結凍後酌減官兵二百名祇派西寧鎮屬
官兵四百名並委遊擊一員帶領在鄂倫布拉
克一帶分段防範其官兵口糧鹽菜仍照上次
支給所有應派蒙古兵丁仍令各旗攤派四百
名隨同防守等因札商前來弩松筠伏查此項
應派防兵原奉
諭旨逐年漸次減撤兹於本年冬間出防之時酌減
二百名係屬遵
旨辦理弩等往復札商届時祇派官兵四百名飭委
遊擊一員照前出防弩文孚欽遵
諭旨剴切曉諭蒙古令其努力自強勿稍踈懈外容
俟弩松筠進京
陛見請
訓回任後先赴西寧查閲營伍之便即可察看情形
與弩文孚公同商酌將此項防兵漸次全數裁
撤再行奏
聞是否有當伏乞
皇上睿鑒訓示謹

奏

依議

嘉慶十四年九月　十五　日

奏

河東河道總督臣陳鳳翔跪

奏為恭報秋汛安瀾豫東黃河各工普慶平成恭

摺奏

聞仰慰

聖懷事竊照本年豫省陝州萬錦灘黃河伏秋汛水共陡長七次武陟縣沁河亦陡長七次鞏縣洛河共陡長二次俱滙入大河極其浩瀚臣查今歲各河長水比較上年次數更多水勢較上年亦大所幸皆係先後漲發旋長旋消尚無壅遏之患惟當河水盛漲或舊埽塌陷潰及堤壩或無工處所溜勢斜趨猝然出險均經前河臣馬慧裕督率開歸道林樹芳河北道莊振兗沂道

王如金帶領廳營并地方河工候補試用人員分投搶護得臻平穩臣到工後周歷兩岸查有埽段浮鬆未能到底者即飭令該管道員率領廳營加廂層土層料追壓結實有必須應添埽段之處即令其廂做堅固以備不虞各道均能不辭勞瘁認真出力查近年來豫東河工多在霜降前後具報出險皆由埽段浮鬆未能追壓到底秋水搜根乘虚而入尤宜倍加慎重臣每到一廳必諄切告誡加壓厚土兩岸工員尚能遵照辦理秋分寒露一月之内雖河水間有增長而埽段均屬平穿是其明驗兹本月十六日節交霜降吉辰據豫東各廳申報漲水漸消即間有積存長水自數寸至一尺七八寸不等各工普慶平成此皆仰賴

聖主誠敬感孚

河神默佑所致臣即於是日虔誠齋沐躬率在工文武各員弁恭詣蘭陽廟工恵安觀

河神廟敬謹致祭默陳

聖敬祈保歲歲平安工次臣民莫不異口同聲臚歡
稱慶現在雖過霜降仍不敢稍事大意飭令各
工員小心防護總期安益求安以仰副
聖主廑念河防之至意所有豫東黃河秋汛安瀾通
工普慶緣由臣謹會同河南撫臣恩長護理山
東撫臣朱錫爵合詞恭摺由驛馳
奏伏乞
皇上睿鑒謹
奏

敬慰覽之即有旨

嘉慶十四年九月　十六　日

七二〇

奏

協辦大學士兩江總督兼署江蘇巡撫臣百齡跪

奏為遵

旨查明嘉慶十二年揚徐各廳加培黃河隄工原奏與續奏清單不符緣由據實恭摺覆

奏仰祈

聖鑒事竊准河臣黎世序咨准工部議駁南河總督題銷嘉慶十二年徐州淮揚各廳屬培築黃河南北兩岸隄埝並補砌碎石各工共用過銀八十五萬四千八百七十七兩九錢一分一案因原奏内稱隄頂上築土埝以頂寬一丈内外為度而清單内開土埝有至二丈者又原奏止稱隄頂卑矮者均就現在堤頂量為加幫並不言

有創築隄埝工程而清單内開有創築越堤横
隄格隄斜隄壩臺新圈埝土靠土格等工又原
奏稱於溜勢内卧之處酌添撑隄土壩係屬添
築新壩並非加幫舊壩而清單内開幫築壩工
均屬不符簽駁題覆仍未删減
奏奉
諭旨此案黄河南北兩岸培築隄埝各工原奏與清
單因何不符著百齡詳細查明據實覆奏欽此並
准河臣將此案原奏及續奏清單並工竣驗收
具奏各底稿抄録咨送前來努查此案工程係
前河臣戴均元徐端於嘉慶十二年正月十七
日具奏以江境徐州淮揚兩道所屬黄運兩岸
大隄必須擇要加培凡灘面淤高隄頂卑矮者
均就現在隄頂量為加幫上築土埝以頂寛一
丈内外為度並於溜勢内卧之處酌添撑隄土
壩間加碎石統計共估需銀七十七萬餘兩請
乘此春融撥銀趕辦欽奉
上諭此項工程頗為緊急鐵保身任總督乃摺内並

未列衔隄工界址段落又未詳細聲叙著該督等
將應培工段在於何汛地面丈尺若干繪圖貼説
迅速覆奏等因欽此旋經前督臣鐵保會同前河
臣戴均元徐端遵
旨將應培應築隄工按各廳汛地估辦段落丈尺開
具清單繪圖貼説於二月十一日繕摺奏呈
御覽奉
旨即照所請辦理等因欽此嗣因伏秋汛内黄沁兩
河並漲從前緩辦之處溜勢變遷必須再行幫
築埝戧並添築土壩以資攔禦因勢關呼吸隨
時搶辦另於原奏請銀七十七萬兩之外又添
辦搶工用銀八萬一千餘兩即於奏報驗收前
項培築隄工摺内一併開單具
奏奉
硃批工部知道欽此各在案其部臣指駁之土堰頂
寬二丈及創築越隄横隄格隄斜隄壩臺新圈
埝土靠土格并幫培舊壩等項工段悉係清單
所有而原奏所無者以戴均元等原奏係十二

年正月十七日鐵保等覆奏附陳清單條十二
年二月十一日相距不及一月如果續奏所增
各工盡屬確實何以原奏内不即詳細叙明是
否當時道廳原禀已經詳載河督具奏時遺漏
未叙續奏始行補入清單抑或另有别故其清
單内各工估需銀兩數目與原奏所開之數有
無浮多續增各工係何員請辦何員勘估何員
驗收丈尺段落是否悉有底案可據其中有無
弊混必須澈底查明始能得其確實當經遴委
候補道朱淦候補同知林溥將總河及道廳各
衙門承辦此案之印冊全卷全行調集詳查禀
覆去後兹據該道等查明並無弊混禀覆前來
等親加查核此案清單内所開續增各工當日
各該道廳原禀原詳悉已詳晰備載前河臣戴
均元徐端具奏時未將横埝越隄等項名色於
摺内逐一臚列而所估埝頂自數尺至二丈者
又約稱一丈内外並將越隄横埝等工均約稱
酌添撑隄土壩原奏本屬簡畧迨奉

聖明指飭織保戴均元等始照道廳原報各工名目
丈尺詳細開具清單具奏並非於原奏之外另
有加添工程核其所辦各工始係由各廳估報
各道勘定繼經河臣親往驗收高寬丈尺土方
細數現在均有印冊歷歷可稽其清單內所開
估需銀款仍係原奏內七十七萬餘兩之數並
無增添惟查此係十二年春初預籌儹辦之工
自應於工竣時專案具
奏以清款目乃戴均元徐端等將大汛時
奏明搶險所用銀八萬一千餘兩附於奏報前案
工程完竣摺内一併開單進
呈以致共計用銀有八十五萬四千餘兩之數而
河臣吴璥黎世序先後題銷亦未分案聲叙致
干部駁今遵
旨悉心覆查部臣所指工程名目不符實因戴均元
等原奏疎漏於前清單補叙於後之故至先後
銀數不符則係因兩案工需併入一案估銷未
經分晰之所致委無别項情弊謹據實繕摺覆

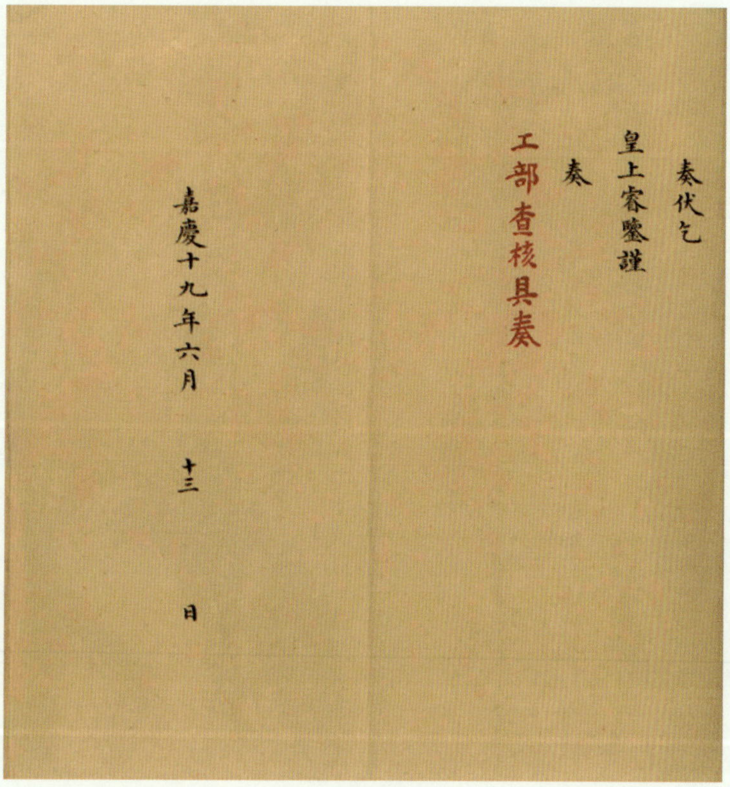

奏伏乞

皇上睿鑒謹

奏

工部查核具奏

嘉慶十九年六月　十三　日

七二一

奏

河東河道總督臣吳璥跪

奏為查勘豫省黄河南北兩岸各廳土埽工程並
伏汛水勢旋長旋消各工平穩情形恭摺奏祈
聖鑒事竊臣於六月十三日將履勘雎工形勢順暢
長水消落緣由恭摺具
奏在案臣即由南岸各廳溯查而西復渡河履勘
北岸各工查南岸之蘭儀廳蔡家樓河勢與春
間相同惟下護厓埽對岸新長淤灘逼溜南趨
致將該處九十十一二等埽並毗連之挑水頭
壩於嘉慶十六七年淤閉之工亦陸續刷塌舊
埽五段經開歸道唐仁埴督同廳營補廂堅整
又上南廳鄭州上汛邰家寨二壩舊有埽工三

段十三年淤閉停修兹因大溜圈注刷塌補還
三段並於上首堤根滙塌處相機接廂新埽二
段足資抵禦北岸衛糧廳衛工大壩四十四五
六七埽十八年淤閉停修該工本有存灘二百
餘丈日前水長存灘塌盡致將舊埽刷去現已
補廂四段祥河廳爲北岸要工埽壩林立捉坐
均關緊要該工十三堡七壩並上首空檔舊有
埽工長一百十丈於十七年淤閉臣途次接據
河北道趙麟稟報該工溜勢因水落上提排注
埽前各埽陸續塌蟄臣即馳赴該工督令搶補
新埽八段已臻穩實其餘各廳河勢平順當長
水時間有卑矮行蟄埽段俱經該廳營量爲廂
高均屬穩固察看各廳内有工段較多之處所
存稭蔴尚有不敷酌量添購專委妥員採辦運
工以資寬備仍嚴飭該道等隨時查驗不容稍
有短少虛糜至各廳增培土工業經全行報竣
先經撫臣方受疇周歷履勘臣復逐工查驗尚
無草率偷減等弊間有錐試滲漏之處經臣與

撫臣先後飭令翻築並分別責處記過以示懲
儆又北岸祥河廳祥符十四堡大堤南臨埽工
北係積水坑塘堤身尚覺單薄殊不放心據該
道稟稱續估北面加幫戧工並將戧頂加高俾
得堅厚保衛惟水中澆築並隔水五六里外取
土往返窵遠艱難例價不敷請酌加津貼等因
臣復查屬實當飭趕辦現亦一律完竣容俟臣
核準銀數連南北兩岸各廳另案土工一併彙
繕清單恭呈
御覽再查沁河於六月初七日續長水二尺五寸萬
錦灘黃河於二十三立秋日長水三尺各工報
長水自一尺六七寸至二尺四五寸不等亦即
隨時消落近日河槽刷深續有長水亦足容納
但伏汛雖過秋汛正長臣惟當督率道廳等事
事實心經理處處防範周密務期大汛安瀾仰
慰
聖廑所有查勘豫省黃河南北兩岸各廳土埽工程
並伏汛水勢旋長旋消各工平穩情形理合恭

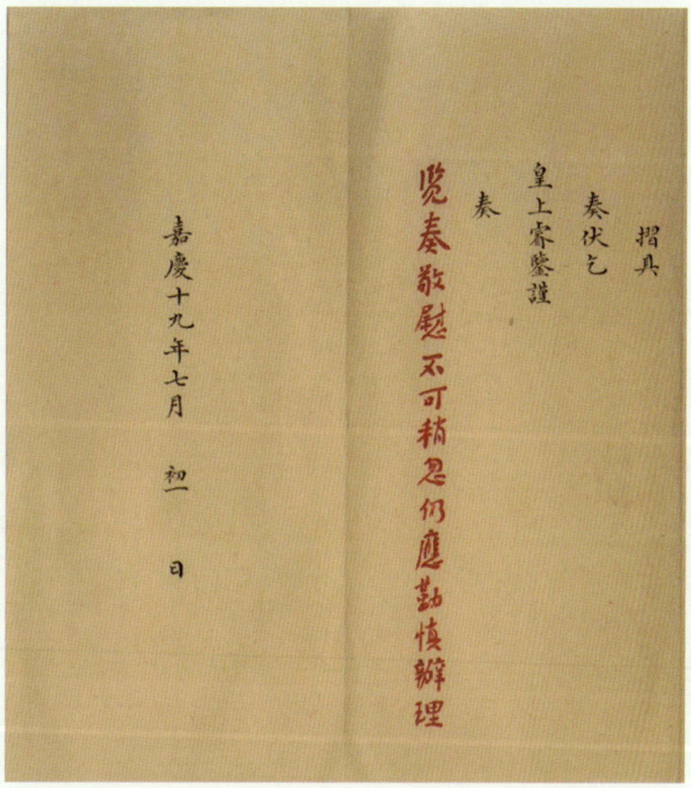

摺具

奏伏乞

皇上睿鑒謹

奏

覽奏敬慰不可稍忽仍應勤慎辦理

嘉慶十九年七月初一日

七二二

奏

河東河道總督臣吴璥跪

奏爲秋分前後河勢圈灣秋水淘底南北兩岸各
廳刷墊新舊埽工均已搶護穩固惟下北廳十
一堡大局平定尚有應辦事宜須少緩數日即
赴睢工各緣由恭摺具奏仰祈
聖鑒事竊臣於七月二十九日將黄沁兩河長水各
工廂護平穩情形具
奏在案嗣據陝州稟報萬錦灘黄河於七月三十
日長水三尺五寸隨據各廳先後具稟八月初
一二三等日長水二尺七八寸至五尺餘寸不
等旋即陸續稟報消退查本年水勢疊經消長
大溜提移不定此次水落歸圈溜益湍激兼之

秋水淘底以致南北兩岸各廳或舊工新生或
無埽處所猝然着溜情形俱極緊要查南岸上
南廳鄭州上汛胡家屯頭堡五埽迤東有埽工
一百餘丈淤閉停修今於月底月初水長溜猛
舊埽刷塌隨經趕補新埽八十一丈方資捍衛
又中河廳中牟下汛舊二壩迤下並舊三壩順
堤埽工之上下空檔向來俱無埽工七月間因
對岸長有淤灘逼溜南趨塌及堤坡情形喫緊
共搶廂護埽四段其舊三壩之上空檔埽工並
二堡順堤埽俱係淤閉捫朽亦因溜到塌灘趨
注埽前甚緊舊埽立即刷盡當將迎溜之處先
行趕築新埽均得抵禦穩固現在仍相機擇要
接築其情形較緩者再行察看不准率意多糜
又蘭儀廳蔡家樓上護厓舊埽因溜勢圈注不
移自六埽至十三埽共八段陸續蟄塌先將最
要之六七八九等埽趕緊補還其十埽十一二
三埽現亦跟接廂齊溜漸開行始臻穩順以上
南岸三廳接續報險臣督飭開歸道唐仁埴並

委南岸防汛之前任徐州道張鼎知府銜候補
同知張協鼎等分投前往率同各該廳營並調
撥弁兵不分晝夜竭力搶護現俱一律穩定至
北岸祥河廳兩月以来溜勢提坐靡常時有蟄
廂新廂埽段幸俱築做堅實惟下北廳蘭陽汛
新月堤十一堡以東河勢掃灣北卧上年廂做
護埽二百丈屢蟄屢廂本年大汛時因對岸灘
嘴挺出圈灣愈甚竟成入袖之勢迨八月初間
二十埽以下無埽之處大溜逼刷堤身本寬十
一丈兩日之内塌去五六丈不等土性沙鬆情
形甚險臣親督河北道趙麟並派委北岸防汛
之前任淮揚道葉觀潮率同廳營等連夜跑土
幇戗一面趕廂新埽五段追壓到底始得保守
無虞至十六七日該工溜復上提直射上年所
做埽前間段陡蟄並滙塌堤身四丈餘尺臣正
在黑堽搶險甫見平定連接該道趙麟禀報即
於十八日星夜馳回下北工次一面添調弁兵
前来連日督同該道及委員廳營等晝夜趕辦

業將墊塌埽段搶出水面堤身亦不復滙塌已
可保守無礙惟新舊各埽尚須多加柴土極力
追壓並須察看形勢酌辦挑壩務俾益臻穩固
是以尚需督辦數日方能趕赴雎工商辦一切
所有秋分前後搶護南北兩岸各廳新舊堤埽
各工俱已平穩並下北工程雖已穩定尚有應
行籌辦事宜一俟大局妥竣即赴雎工各緣由
理合恭摺具

奏伏乞

皇上睿鑒謹

奏

知道了

嘉慶十九年八月　二十　日

七二三

奏

協辦大學士兩江總督臣百齡跪

奏爲查閱江寧省標及浦口營官兵情形仰祈

聖鑒事竊臣查閱蘇州常州鎮江各營官兵技藝業

經恭摺奏

聞在案兹於八月十七八九等日調集臣標下中左

二營江寧城守左右二營及浦口營官兵連日

逐加校閱該兵丁摉演陣式進退步伐連環鎗

炮俱整齊合度藤牌雜技亦均捷速馬箭平穩

步箭撒放架式去得中靶二三四箭不等間有

五矢全中者馬弓三四力步弓六七力至八九

十力不等準頭合式均在七成以上惟三疊排

鎗鈎火遲速稍有不齊臣當將優等兵丁酌量

獎賞記名其技藝稍遜者分别降補棍責黜驗
軍裝馬匹公費等項俱無虧缺考驗各營備弁
等官人材壯健騎射均屬可觀亦俱逐一獎賞
副將慶廉皖友智整飭營務甚為實心得要但
訓練官兵係該員等分内之事未敢率請
施恩鼓勵遊擊薩爾杭阿都司舒大鯤彭鎮川守備
李廣毅等材技優嫻差捺勤奮應請先行記名
遇缺陞用以示激勸𢬵查南省兵力軟弱多由
平日不能習勞所致兹於省標四營馬步兵内
挑選技藝尤為出色者五百名於捺演本技之
外令其腿縛鉛瓦逐日練習足力兼教以超距
之法不少間斷以期强健趫捷並捐製適用鳥
鎗督令打靶以驗準頭其衣帽等件亦俱捐製
給領嚴諭將備等勤加教演隨時勸懲俾各技
精純咸成勁旅以仰副
皇上整飭戎行諄切訓誨之至意所有閲過省標四
營並浦口營官兵情形理合恭摺具
奏伏乞

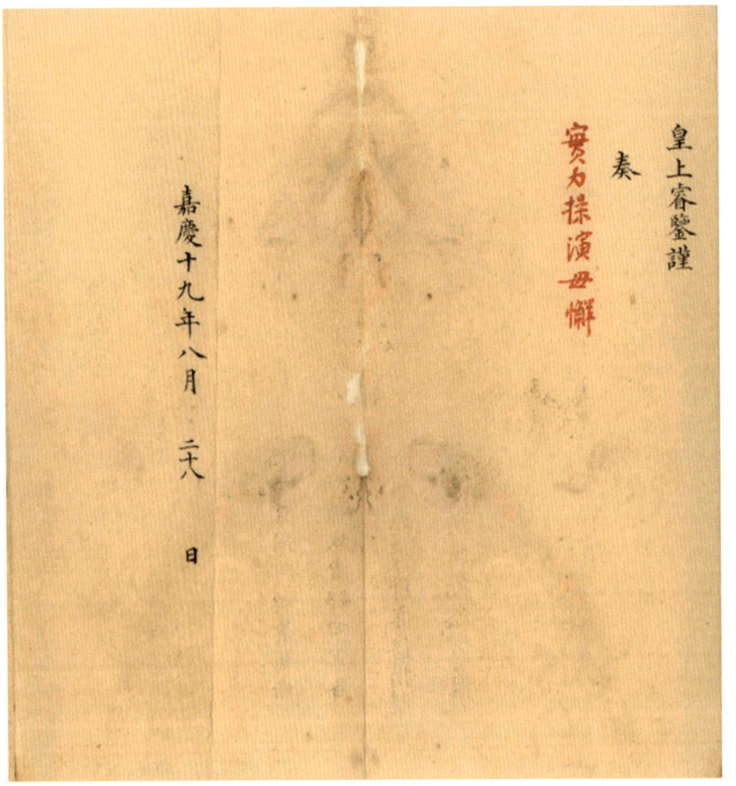
皇上睿鑒謹
奏
實力操演毋懈
嘉慶十九年八月　二十八　日

奴才百齡跪

奏再現在部控屆限案件及本省要案奴才均已審

定其平糶災賑諸務亦督飭藩司妥爲勘辦容

當次第分别具

奏奴才即於二十八日馳赴清江會同河臣籌商培

做隄埽疏濬下游督辦黄河歸故漕船回空各

事宜理合附片陳明謹

奏

覽

七二四

奏

河東河道總督臣吳璥跪

奏為北岸下北廳十一堡河溜頂沖圈注刷塌堤埽甚為險要連日竭力籌辦大局始定幸保無虞先將大概情形恭摺具

奏仰祈

聖鑒事竊照黃河北岸下北廳屬蘭陽汛向有新月堤一道係乾隆四十八年在舊大堤迤南河灘內建築土性沙鬆上年五六月間十一堡迤上對岸之黃家揚地方河勢坐灣溜向北卧前河臣令道廳於十一堡以東沿堤廂做護埽二百丈該處堤本圈灣形同弓背沿堤廂埽已成入袖之勢本年伏汛時對岸舊崔家莊淤出灘嘴

溜更側向北趨八月初間大溜在二十埽迤下
無埽之處刷塌堤身當經趕廂新埽五段甫經
廂竣溜復上提至上年所做埽前間段刷蟄亦
即搶廂平穩此該處河勢上年北卧生工勢已
入袖本年上提下坐接廂蟄廂各埽之節次情
形也查疊次著險雖係埽灣圈注溜勢尚時緊
時鬆迨八月二十日以後南岸崔家莊迤北忽
又接生新灘愈淤愈寬復長二層水灘挺峙河
心而北岸又有膠泥老灘與崔家莊新灘斜對
箝束河身僅寬三四十丈竟成南北直射之勢
堤埽横當其沖全河堆注搜根淘底舊埽段段
蟄動堤身亦見坐蟄甚為危險臣於雎工接據
道廳稟報即於二十八日帶同原任淮揚道葉
觀潮知府銜候補同知張協鼎連夜馳往搶護
撫臣方受疇飛飭附近該工各州縣趕購秸蔴
運往協濟臣馳抵該工率同該道趙麟等詳加
察看河勢側注奔騰圈刷湧猛異常若仍就原
舊堤埽跟廂加築溜必愈形激怒鋒不可當恐

致徒糜料物較量内灘尚高於水面莫若效前
人成法不與水爭咫尺之地稍為退步以舒其
氣方免意外之慮隨於北面退後擇灘形最高
地方分派幹員併力搶築月堤一道先築高四
五尺藉資衛護一面督飭該道趙麟並葉觀潮
張協鼎率領文武官兵於上首掃灣之處先就
灘厓搶築壩埽勢甚喫重竭力廂壓數晝夜追
入深水始得將溜頭托住其氣已稍舒緩但溜
勢入袖必須設法挑開河流方能順暢現於新
埽迤上八月間擬築挑壩處所及新埽迤下相
度大溜之趨向酌添壩埽數段以期抵托奔流
挑順河勢俾臻穩定查該工大局雖已無礙而
新做壩埽務須堅實並應相機接築月堤尚在
加培均宜慎重辦理非可急遽遷就撫臣所派
稭蔴料物現已源源攢運加知州銜蘭陽縣知
縣童泰初購料催夫甚屬出力該道趙麟及葉
觀潮張協鼎率同各委員等日夜駐工實力趕
辦均能奮勇爭先不辭勞瘁臣仍往来雎工會

高一切俟十一堡料物催齊壩埽築成後察看
情形再加妥籌另容具
奏外所有下北廳十一堡河溜頂沖圈注刷塌堤
埽甚為險要連日竭力籌辦大局始定幸保無
虞先將大概情形恭摺具
奏伏乞
皇上睿鑒謹
奏
知道了
嘉慶十九年九月　初六　日

七二五

奏

河東河道總督臣吳璥跪

奏爲節屆霜降豫省南北兩岸黄河各廳埽工保

護平穩恭摺具

奏仰祈

聖鑒事竊查下北廳十一堡刷塌堤埽竭力籌辦幸

保無虞臣於本月初六日將辦理大概情形具

奏在案查本年伏秋汛内萬錦灘黄河共陡長水

十三次武陟縣沁河共陡長水五次其源由甘

肅山陝匯流下注加以豫省伊洛瀍澗等河同

時漲發滙歸大河實爲奔騰浩瀚幸前漲甫消

後水踵至去路通暢並無壅積之慮但陡長陡

落埽工易於蟄動並因睢工口門掣溜迅疾上

游各工河底淘深埽段蟄廂不已且口門以上形勢變遷灣灣生工處處著險各廳搶廂工段不一而足節經隨時

奏明現查北岸之祥河廳十三堡六壩舊埽八段十六年停修近因河溜圈刷塌盡搶補新埽八段始臻穩固南岸上南河廳胡家屯頭堡五埽迤東新補埽工八十一丈下首本有舊埽二十四丈六尺因風湧溜激俱經蟄塌趕緊補還新埽中河廳二堡順堤埽皆係淤閉朽溜刷到塌灘舊埽立即刷盡前經

奏明趕築新埽茲據該道廳稟報頭埽至九埽共九段分投搶補已臻穩實又下南廳黑堽工八月間搶險平定之後溜勢下注挑水壩舊埽五段及接連上首空檔埽三段均係十七年淤閉現俱刷塌傷及壩身隨即趕廂新埽六段並因河溜挑坐不定相機於人字壩下首搶築順水壩一道廂埽三段魚鱗頭壩上首接廂護堤新埽三段足資捍衛又儀睢廳睢上汛東圈堤河

勢南卧距雎工口門較近掣溜更緊順水壩五
六七八等埽並挑水壩埽工六段悉行刷蟄壩
身潰塌當於兩壩迎溜處先各廂成三段追壓
穩實溜勢漸定即行次第補廂以資保守臣查
本年長水次數較多秋水搜刷較伏汛倍爲猛
悍南北兩岸或舊工新生或向無埽工處所猝
然著溜紛紛報險情形均極緊要而下南下北
兩廳危險尤甚臣督同開歸道唐仁埴河北道
趙麟並委張鼎棻觀瀾張協鼎等分投搶護晝
夜不遑文武各員均能奮勉出力惟需用銀料
人夫較多撫臣方受疇督同藩司諸以謙並開
封府昌宜泰歸德府謝學崇飛飭各州縣趕緊
購料集夫始得源源應手方兩岸險工疊出之
時奔馳搶辦憂急萬分幾於措手不及仰賴我
皇上至德感孚
河神默佑均得保護平寧凡屬官民無不同聲慶頌
臣感幸之餘倍深寅畏現在霜節已過惟下北
儀雎兩廳應廂工段較多尚在趕緊辦理而大

局均屬平定其餘各廳工程悉臻穩固仍諄飭
各該道督率廳營加意巡防小心守護不敢稍
涉大意除俟本月十九上吉之日興築雎工大
壩另容會同那彥寶方受疇具
奏外所有節屆霜降豫省黃河南北兩岸各廳堤
埽工程一律保護平穩緣由理合會同副河臣
李鴻賓河南撫臣方受疇恭摺具
奏伏乞
皇上睿鑒謹
奏

覽奏敬慰

嘉慶十九年九月　十二　日

七二六

奏

新授河南按察使奴才琦善跪

奏為恭報接印任事日期仰祈

聖鑒事竊奴才仰蒙

天恩補授河南按察使遵於

陛辭後束裝起程先取道睢工謁見撫臣方受疇即

於本月十二日至河南省城准署臬司南汝光

道崔景儀將臬司

敕印及一切文卷委員齎送前來奴才恭設香案望

闕叩頭謝

恩祇領任事伏念奴才係滿洲世僕年幼才庸識見短

淺仰蒙

隆施格外由刑部郎中擢至通政使司副使於本年

二月間奉
命赴山東江南鞫訊控案暨查閲湖河各工屢膺
委用疊沐
鴻慈正以未効涓埃時深感惕兹復蒙
恩命陞授臬司自顧何修叨兹
異數竊向於吏治民情未經閲歴而臬司爲刑名總
滙豫省地方遼闊案牘繁多又當嚴緝逃逆之
時正宜力行保甲除奸戢暴以安良善竊惟有
凛遵
聖訓潔已奉公矢勤矢慎將一切案件隨到隨審持
平核斷不敢稍有懈弛以期仰報
高厚鴻慈於萬一所有接印任事日期理合恭摺具
奏伏乞
皇上睿鑒謹
奏

小心謹慎防人迎合公正廉明勉之

嘉慶十九年十一月　十二　日

再弩自京起程經過地方直隸保定以南及河
南彰德衛輝一帶均於十月二十二三等日得
雪十一月初六日行至延津縣地方欣逢瑞雪
時降勢甚廣遠沿途察看積厚三四寸不等迨
至祥符縣黄河北岸渡口因連日西北大風全
河氷凌下注未能濟渡改道由封邱考城一帶
行走於初九日至睢工東壩渡河謁見
欽差侍郎那彦寶暨河臣吳璥撫臣方受疇詢知工
次同日得雪大有裨於農功惟東西壩前積凌
深厚底下難以進占而引河地勢低窪積雪更
厚現經那彦寶等督率文武員弁鑿氷挑雪以
冀設法施工所有弩因黄河阻渡繞道進省緣
由理合附片陳明謹
奏

覧

七二七

奏

臣吳𡼖 臣李鴻賓跪

奏為節交長至防護黃河凌汛工程務臻平穩恭

摺奏

聞仰祈

聖鑒事竊照黃河各廳埽壩工程每屆隆冬即為凌

汛誠恐冰凌壅過河流並劃削埽段必須慎重

防護本年豫省大汛時黃沁兩河長水十數次

兼因睢工口門掣溜迅激上游各廳埽壩險工

疊出幾於措手不及實為數年來所未有之險

要雖幸竭力搶護平寧而新廂埽壩較多霜降

後尚有接廂新埽以及陡蟄加廂等工情形均

關緊要十月底疊經西北風信之後大河凌塊

溧澮當即分檄南北兩道督飭所屬廳營於新
舊各埽工多備搪凌椿把客爲掛護並於埽灣
迎溜之處置備鐵錘木榔等物將凌塊隨時敲
擊流行以免阻塞爲患本月初五六兩日瑞雪
繽紛積厚約有五六寸氣候驟冷十一日節交
長至大河冰凌蓋形擁集臣李鴻賓於初七日
由濟寧行抵睢工會同臣吳璥查現在上游廳
營汛弁大半調赴睢工當差即經酌量派員前
往各汛專住代理督率在汛弁兵妥愼巡防至
下北廳蘭陽汛十一堡埽工前於八月底河溜
坐灣變成南北頂衝形勢將舊埽提身刷塌極
爲危險當於上首埽灣之處搶廂寬大邁埽六
段竭力廂壓追入深水始得托住溜勢大局平
定其邁埽以下尚應補還提埽因冬令水枯尚
可緩辦應另爲確估妥籌再行
奏明辦理又儀睢廳睢上汛東圈堰舊有順水挑
水兩壩霜降前後大溜南趨側注湧猛將順挑
各壩淤閉舊埽悉行刷塌臣吳璥由睢工馳往

親督道廳於各壩上下共補廂新埽十七段並於順水壩以上空檔處廂做護埽二段始獲抵禦無虞挑水壩後堤身亦因大溜刷塌僅存寬二丈餘尺當經趕築裡戧以資保護亦俟春融尚須確估加帮以上二廳埽段廂做未久淩汛期內尤應加緊防守現均一律穩固足紓

宸廑除堵築雎工情形會同那彥寶方受疇另行

奏報外所有節交長至防護黃河淩汛工程務臻平穩緣由謹繕摺具

奏伏乞

皇上睿鑒謹

奏

實心實力辦理

嘉慶十九年十一月　十五　日

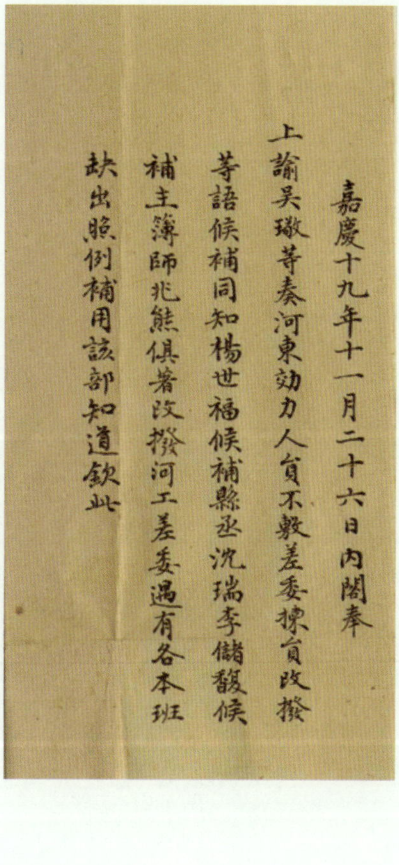
嘉慶十九年十一月二十六日内閣奉
上諭吳璥等奏河東効力人員不敷差委揀員改撥
等語候補同知楊世福候補縣丞沈瑞李儲馥候
補主簿師兆熊俱著改撥河工差委遇有各本班
缺出照例補用該部知道欽此

七二八

奏

臣吳璥臣李鴻賓跪

奏為豫東兩省黃河北岸各廳十八年另案埽工

高寬長丈單長銀數循例補繕清單恭呈

御覽事竊臣等查接管卷内上年伏秋大汛沁黃二

河盛漲頻仍大溜提坐趨刷或無工處所猝然

著溜或舊埽淤閉年久刷塌補廂並有新廂埽

段水勢洶深追壓穩實其辦理情形節經原任

河臣李亨特並陞任河臣戴均元先後具

奏在案内豫省北岸河北道屬祥河廳祥符汛十

五堡以上搶廂新埽十四段又十四堡南戗搶

廂新埽六段下北河廳蘭陽汛新月堤十一堡

迤下廂做護埽二十段計長二百丈東省兖沂

曹道屬曹河廳曹縣中汛十八堡至二十二堡
接廂防風埽十四段曹縣下汛五堡後越堤南
面廂做防風埽十二段糧河廳單上汛二堡魚
鱗三壩頭埽上首接廂新埽二段以上各工臣
等因原報入水丈尺不實動用銀數過多節次
嚴駁删減兹據河北兖沂二道逐工遵照核減
開送印摺請奏前來臣等復加查核無異謹循
例補繕清單恭呈
御覽並遵
旨將所用例價時價逐一比較於單内聲明爲此恭
摺具
奏伏乞
皇上睿鑒勅部存核施行謹
奏

工部知道

嘉慶十九年十二月　初九　日

七二九

奏再弩百齡跪

奏再弩馳抵清江接准東河臣吴璥河南撫臣方
受疇等咨會雎工定於初四日啓放引河又據
徐州道府探報雎工約於初八九日即可合龍
目下正届桃汛漸長之時黄流初復大溜下注
自必猛迅江境修防均關緊要前經會同河臣
黎世序督飭工員將上游挑河培堤各工趕辦
完竣下游近海各廳南北隄岸亦俱逐處整理
並按段派員防守現在河臣黎世序迎赴徐州
察看水勢下注情形相機籌槩而清江為淮黄
交滙中權扼要之區弩率同道將廳營等親歷
巡防探量湖水現存一丈二尺一寸計高於河
水四尺六寸但黄水驟至勢必加長數尺倘湖
水不能頂托恐致漾入運河現當漕船次第儧
行之際禦黄壩不能堵閉惟有將口門收窄藉
資鉗束其東清壩口門亦即進占收攏俾清水
蓄勢抬高助其敵黄之力並將順清河上緊堵
築免致黄流分入現已札商河臣飭令文武員

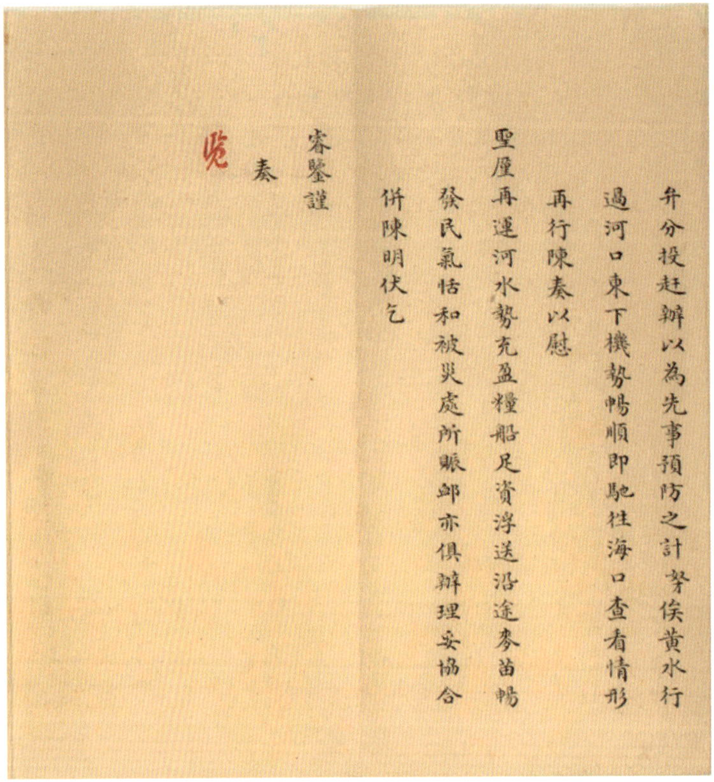

并分投赶辦以為先事預防之計努俟黄水行
過河口東下機勢暢順即馳往海口查看情形
再行陳奏以慰
聖廑再運河水勢充盈糧船足資浮送沿途麥苗暢
發民氣恬和被災處所賑卹亦俱辦理妥協合
併陳明伏乞
睿鑒謹
奏
覧

七三〇

奏

臣吴璥臣李鴻賓跪

奏為豫東兩省黄河北岸粮河曹考二廳幫築隄壩鑲做防風單長土方銀數循例補繕清單恭

呈

御覽事竊臣等查接管卷内十八年分粮河廳單下汛大隄二堡至五堡南岸生灘河溜北卧塌灘近隄當於二三四五等堡大隄分别加高壩頂南面加幫舊戧頂上接高及隄頂子埝北面加幫均與大隄相平再於頂上普律加高二尺並於南面添築半戧先填窪形殘缺共工九段計長九百丈又曹考廳屬考城曹縣兩汛大隄以内河灘皆有河形盛漲漫灘水抵壩根恐致串

刷於考城汛馮家莊溝形内築做土壩一道長
一百九十丈先填窪塘再於上面築壩跨壓於
臨河一面刨槽鑲做防風又陳家埠道董家莊
舊有土格二道各長五十丈間有殘缺刨槽鑲
做防風一律攩護又曹縣上汛十八堡至二十
一堡灘面南高北窪内十八堡順隄長一百二
十丈二十堡順隄長一百四十丈漫水串至隄
根各鑲做防風以資抵護其辦理情形節經原
任河臣李亨特先後具
奏在案復經陞任河臣戴均元核明移交在卷臣
等查所做隄戧土工尚無草率至土壩防風之
高寬丈尺所報不實節經嚴駁刪減兹據兖沂
河北二道逐工遵減開送印摺詳請具奏前來
臣等復查無異謹循例繕具清單恭呈
御覽並遵
旨將所用例價時價逐一比較於單内聲明為此恭
摺具
奏伏乞

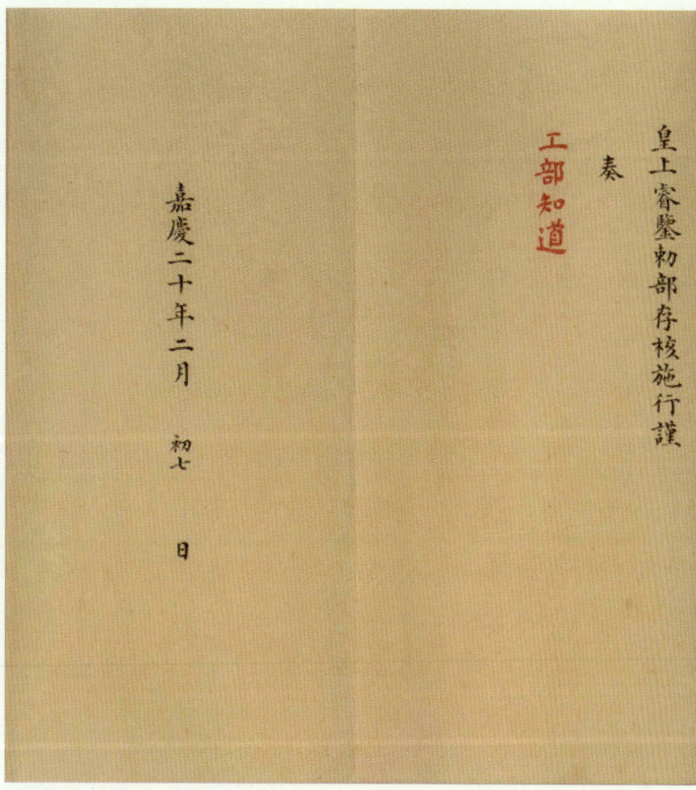

皇上睿鑒敕部存核施行謹

奏

工部知道

嘉慶二十年二月　初七　日

臣吳璥臣李鴻賓跪

再查山東兗沂道屬曹河粮河兩廳地處下游
與豫省南岸之商虞歸河二廳相對距雎工僅
一百餘里至二百餘里各該工附近村莊稭料
亦多運赴雎工售賣現在購料艱難與豫省各
廳相同令豫省各廳經臣等奏請分別加價照
例歸入大工案内攤征所有東省曹粮二廳事
同一例未便獨令向隅應請照較遠之歸河廳
於例價之外每觔亦量加價銀三毫約共需銀
九千兩唯該二廳既非豫省所隷斷不能歸入
大工案内一體攤征而經費有常更未便動支
正項錢粮查兗沂道庫閒款項下現存徭夫工
食銀一萬五千餘兩向備河工歲修工程之需
應請即於此項内動撥應用如蒙
允准則該二廳辦料既可無虞支絀而本係歲修之
項以公濟公無庸另請錢粮實與修防儲備均
有裨益是否有當伏乞
睿鑒訓示謹

七三一

奏

兩江總督臣百齡
江南河道總督臣黎世序跪

奏爲黄流全歸正河湖水滙黄下注暢行入海情
形據實奏

聞仰慰
聖懷事竊照睢工開放引河黄流行入江境日期前
經會摺奏

聞在案兹查黄流於初七日行入江境之後初十日
即行過徐城歷邳睢宿桃廳境於十五日即入
外河廳境滙同河口清水暢行下注於十七日
入海自豐碭境起至桃源境内本係空河黄水
適長九尺餘寸至一丈零數寸不等自外河廳
境起本有清水流行黄水到後報長四尺餘寸

下至海口俱據報長二尺餘寸臣等猶以為初
放引河水未全至俟雎工合龍之後水勢必更
加長迨經數日各工水勢不但未報續長並據
報陸續消水一二尺不等探聞雎工合龍業已
穩固黄流全歸正河暢行入海愈至下游長水
愈少而流行愈駛自係下游河道及海口通暢
之故外河廳順黄壩誌樁為南河水勢考較最
准之處現存水二丈四尺九寸較比嘉慶十七
年二月内蕭南李家樓合龍後順黄壩誌樁長
水至三丈三尺計小八尺餘寸以節氣水勢而
輪均當桃汛以前現在黄河下注之水並非比
嘉慶十七年二月較小實緣河口以下經兩年
清水暢行刷滌河底比前寬深此為明驗現在（幸慰）
洪澤湖高堰誌樁存水一丈一尺二寸計高於
黄水數寸暢出敵黄清黄交滙之處直射至彭
家馬頭以下足徵湖水勢强尚可敵黄在工官
民人等目覩情形均稱近年罕見無不仰頌
聖德感孚

神靈默佑河口以下積年淤墊現在已刷去十之三四從此再能愈刷愈深河口以上河身亦必漸次刷深自下而上由淺得深即可全復舊規

平成永慶臣等莫幸之餘彌加凜慎所有河口欒黄東清兩壩業已趕為收窄以期箝束順清河口門趁此黄水頂托溜勢稍平即督飭上緊堵閉目下節踰清明正當桃汛長水之期臣等惟有會同安籌防汛事宜欽遵

睿訓時刻留心督率通工文武實力修守以期工固瀾安仰副

皇上慎重河防先事策勵之至意本年重運漕船截至二月底止已渡黄八幫計二百五十四隻在前五幫已挽入宿遷縣境黄林莊大壩於二月二十一日啟除東境現在搶挑臺莊以上淺工不日可完臣等現已咨會東河臣照例鋪水下注儹挽幫船北上臣黎世序現駐河口督辦各工並催儹糧船陸續渡黄臣百齡於拜摺後即赴海口查勘新淤地畝及水勢情形再行會同

具

奏外所有黃流全歸正河水勢暢行入海情形謹

合詞繕摺由驛具

奏仰慰

聖懷伏乞

皇上睿鑒謹

奏

欣慰覽之另有旨

嘉慶二十年三月　初二　日

七三二

奏

河東河道總督臣李鴻賓跪

奏爲查勘黄河南北兩岸各廳河勢工程情形並

嚴催料物酌籌幹練人員巡防汛務恭摺奏祈

聖鑒事竊臣於本月初三日將查過下北廳河勢工

程情形具

奏在案臣即由祥河廳溯查而西周歷南北兩岸

各工逐細勘查就現在情形而論北岸工程以

下北廳十一堡最爲緊要業經

奏明接進邁埽等工挑順溜勢可資保護祥河廳

十四堡以東對岸生灘大溜緊趨順堤十四埽

下首致將空檔堤坦長七十五丈四尺陸續淮

塌趕廂新埽五段長四十六丈二尺始臻穩定

其餘如黃沁衛糧等廳或有工處溜勢拖順或
無工處對岸坐灣現飭加謹防守此北岸各廳
工程緩急之情形也至南岸要工林立仍於北
岸如上南廳之核桃園郃家寨胡家屯三處埽
段鱗次櫛比計長七八百丈處處臨黃著溜該
處係出山之水更形湍激臣查胡家屯二堡舊
埽係十三十七年先後淤閉報部有案現因本
月初六七日溜勢趨注舊埽塌淨補廂新埽長
二十九丈六尺又中河廳二堡順堤十埽二十
四埽十七年淤閉報部亦因桃汛水長回注刷
塌搶補新埽長四十一丈下南廳祥符汛黑堽
順水壩上首空檔溜勢裡卧估築戧壩一道溜
已塌到戧根廂埽四段儀睢廳睢州上汛東圈
堰係舊日龍門土性沙鬆南面積水深潭形勢
喫緊應於南面估築月堤一道並將二壩第二
段加高培厚又迎水壩舊埽刷塌補埽三段俱
尚一律平穩此外如蘭儀廳之蔡家樓睢寧廳
之新壩商虞廳之桑家堤歸河廳之虞下汛十

七堡並東省曹河廳之碧霞宫前糧河廳之單
上汛二堡魚鱗等壩俱係臨黄溜勢或提或坐
現擇其迎溜卑矮埽段量為加廂單薄堤埽酌
估增培或應築壩挑溜益護下游或應外堤築
戗以順水勢總期因地制宜酌量辦理以資保
衛此南岸各廳及東境等廳工程緩急之情形
也臣遍歷各工詳加體察溜勢之遷移固屬平
險難定而修守之要務總在先事預防料物為
捍禦之資最關緊要必須早為購足臨時方可
應手而南北兩岸十五廳堤埽綿長尤在本熟
諳道廳實心勤勉在在分理得人庶免貽長莫
及之慮臣現查各廳歲稭已購堆五六成至八
九成不等秤驗尚無空虛等弊惟值大工之後
購辦稍難已嚴飭該管道員認真督催勒限三
月内全完如再逾限或架井空虛即指名嚴參
斷不稍事姑容蘇飭亦飭加緊購齊到[illegible]積土
蕪堤等件一併嚴查不任稍有怠玩臣每與陞
任河臣吳璥撫臣方受疇議及前數年來河臣

去取人材不能秉公黜陟所辦工程往往費
帑於無益之地轉致至緊至要之處因循廢弛貽
悞已非一日上年經吳璥將廳營員弁分別去
留各屬稍知儆畏自奮而得力之員究少臣每
到一處即與該道廳等審察形勢虛衷博採雖
修防明晰尚不乏人而求其幹練可靠者實難
多得現有候補道葉觀潮練達有為人甚體面
候補知府王世臣婁青均係江南多年河廳諳
練勤奮現俱派令督辦善後工程俟一律完竣
即飭委分駐南北緊要處所協同各該道廳認
真講求力加整頓廳營中如有庸鈍懈怠者即
行懲辦庶可望河工漸有起色以期仰慰
聖主垂廑河防奠乂民生至意所有查過南北兩岸
各廳河勢工程並酌籌防護緣由理合恭摺具
奏伏乞
皇上睿鑒訓示再查睢工善後各工承辦各員分投
趕辦現有三四五成不等內蓋壩大壩後戧及
幫築二壩土工逐段錐試尚屬堅實至加壓大

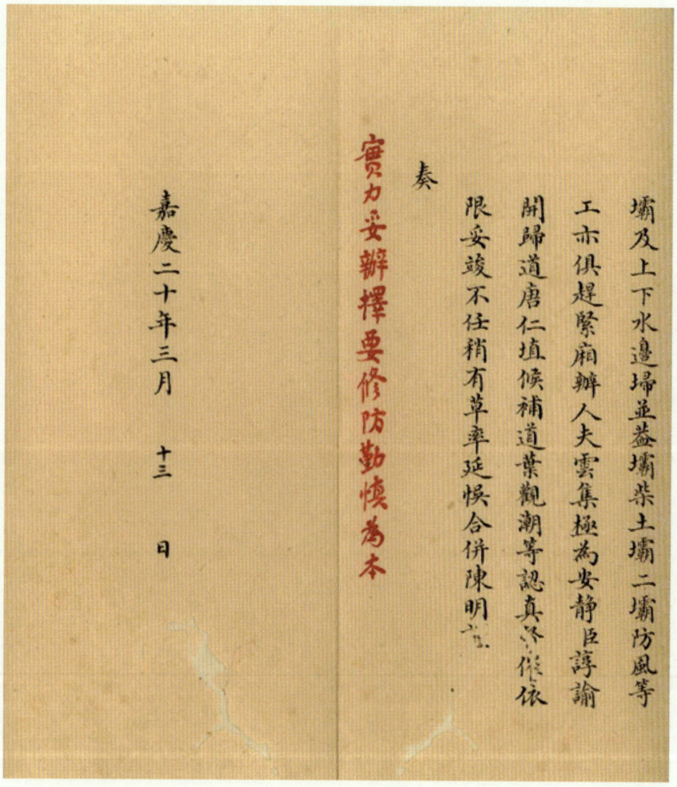
壩及上下水邊埽並蓋壩柴土壩二壩防風等
工亦俱趕緊廂辦人夫雲集極為安靜臣諄諭
開歸道唐仁埴候補道葉觀潮等認真[illegible]催依
限妥竣不任稍有草率延悞合併陳明謹
奏
實力妥辦擇要修防勤慎為本
嘉慶二十年三月　十三　日

七三三

奏

兩江總督臣百齡跪

奏為欽遵

諭旨查明各鎮營汛防控制情形酌擬裁兵數目恭

摺具

奏仰祈

聖鑒事竊臣接准部咨欽奉

上諭從來兵制與國賦相權而行我朝建設各省營兵久有定額其小有損益亦皆就地方情形隨時酌定惟乾隆四十六年添補名糧額缺案內一時各省驟添兵六萬六千餘名為數較多迄今三十餘年于武備甚無裨益而帑項已多用至四十餘萬前曾降旨令大學士軍機大臣會同兵部將增

設名粮額數酌量汰減詳議具奏本日議上朕披
覽摺內現在各省額兵六十二萬四千餘名較之
雍正年間及乾隆四十六年以前所增實多自應
酌加裁減惟各該省情形有今昔不同者亦當熟
思審處各就現在經制參考先後所設兵數汛防
控制情形將應汰應留通盤籌畫庶餉不虛糜而
兵皆足用著各省總督山東山西河南巡撫成都
將軍河道漕運總督各將所屬標下各營及該提
撫鎮協等營兵內每省可以汰減若干據實具奏
彙交原議大臣再行核議欽此等因到臣當即移
會漕河撫提諸臣並通行各藩司鎮協標營一
體欽遵確查悉心妥議去後茲准撫提咨覆並
行據江寧蘇州安徽江西各藩司查議前來臣
查江蘇省原設並養廉賞卹名粮挑補足額先
後移撥實共馬步戰守兵三萬九千三百六十
二名安徽省共馬步戰守兵九千五百六十一
名江西省共馬步戰守兵一萬三千九百二十
九名今奉

諭旨勅查汛防控制先後所設兵數應汰應留每省
可以裁汰若干據實具奏仰見
聖明睿照于整軍經武之中寓制節謹度之意實深
欽佩伏查江省幅幀遼濶督撫分駐省城並統
轄漕河兩標兼管鹽艘巡緝水路則險據河湖
防嚴江海陸路則下臨楚越上扼豫東形勢袤
延山川扼要誠為東南緊要之區分佈水陸操
巡防範城池倉庫監獄以及護解差遣額設兵
丁未易輕言裁減但營汛之設時異勢殊簡僻
衝繁各有區別若果稍形冗設自應酌予汰除
當與漕撫提諸臣熟商並飭各藩司通盤籌畫
就乾隆四十七年以後改移加增數目酌量今
昔時宜及控制差操情形酌核裁減查江南省
乾隆四十七年以後添兵五千十一名而四十
六年以前節經裁汰較之康熙雍正年間統共
兵額已大為裁減今擬于江蘇省漕標内裁汰
兵共八十四名河標内裁汰兵二十五名狼山
鎮標内裁汰兵三十名提標内裁汰兵共二百

九十五名蘇松鎮標内裁汰兵四十名統計江
蘇省共裁汰兵四百七十四名又蘇撫標左右
二營裁汰馬兵三十五名戰兵十五名改為守
兵五十名每年共節省餉乾銀九千二十一兩
零米一千四百五十六石二斗江西省乾隆四
十六年以前兵額節有增加至四十七年添補
名粮案内又增兵一千五百八十七名該省除
九江前後等營濱臨大江外其餘俱係腹地今
擬于撫標内共裁汰兵五百十二名九江鎮内
共裁汰兵一百七十六名贛州鎮内共裁汰兵
三百九十五名計江西省共裁汰兵一千八十
三名每年節省餉乾銀一萬七千四百四十八
兩米三千八百九十八石八斗飭令藩司將節
省銀米各數分晰造冊咨部查核兵丁陸續裁
汰造報馬匹軍械等項另行查明咨部辦理所
有江蘇江西兩省議裁各營具差操巡防等事
現存之兵已可足用至如濱海之川沙吴淞二
營近年添設砲臺移撥弁兵專駐守禦又徐州

界連三省民俗強悍改設重鎮彈壓又海州揚州二營弁兵不敷巡緝奏蒙添設官兵因地制宜不能再議裁減者請仍循其舊再安徽營制本隸江南查安慶遊兵二營營轄長江為上游扼要潛山路當九省通衢壽鎮所屬盧鳳潁泗民俗強悍接壤河南邊界宿州營制甫經改撥移駐徽州寧國池州蕪采廣德等營重巒疊嶂汛廣差繁綜核水陸控制情形並無冗設且通省額兵止九千五百餘名應請毋庸裁減以資守禦而重地方臣現復通飭鎮營嚴加訓練實力操巡不許私行役使仍隨時簡閱勤懲兼施俾令有一兵即得一兵之用庶可悉成勁旅以

仰副

聖主整肅戎行務簡軍實之至意所有遵

旨查明各標鎮營控制情形酌加裁減緣由臣謹會同漕運總督臣李奕疇河道總督臣黎世序安徽巡撫兼提督銜臣胡克家江西巡撫兼提督銜臣阮元江蘇巡撫臣張師誠江蘇提督臣沈

洪合詞恭摺附驛具
奏並將擬裁兵丁名數計節省銀米各數敬繕清
單恭呈
御覽是否有當伏乞
皇上睿鑒勅交原議大臣核議施行謹
奏

原議大臣議奏

嘉慶二十年四月　十三　日

嘉慶二十年四月十四日內閣奉

上諭吳璥奏下北河廳工程緊要現署廳員請免回

籍請咨一摺張協鼎現署下北廳有經手要工自

未便遽易生手著照所請張協鼎准其仍署下北

河同知毋庸回籍另報起復該部知道欽此

奴才百齡跪

奏再黃河北岸附近海口之葉家社大堤因上年

河溜逼刷堤根該管道將廳營並不設法挑護

竟意存退守創築大小越堤以致溜勢裹卧原

堤日漸塌寬昨經奴才前往查明會同河臣黎世

序恭摺據實条

奏欽奉

諭旨將玩悞之前護淮海道孫茂承同知黃炳守備

王統業千總張松年俱革職留于工所協同修守

現在該工溜勢應如何相機抵禦著該河督迅速

妥籌務期修防穩固等因欽此奴才當即欽遵飛咨

河臣將孫茂承等革職飭令赴工協守並囑河

臣黎世序親往履勘督飭該道廳等相機妥辦

以期大汛抵禦無虞茲准河臣覆稱臨工察看

與道將等籌議將小越堤外原築土坝三道盤

頭挑護如三道挑坝尚不足挑溜開行再迎溜

做包灘大埽數段托護兼施可期大汛抵禦等

語伏查南河從前屢次漫口皆因尾閭不能通

暢以致下壅上潰自十六年秉承
睿示接築下游長隄束水攻沙河底較前刷深已有
明效葉家社隄工附近海口倘致溜勢旁趨於
全河機局大有關碍必應時刻小心防守惟督
統轄三省事務殷繁不能長駐工所往來督辦
惟有諄囑河臣黎世序嚴督各工員隨時審察
機宜通盤籌畫既不可存率忽之心躭暇時而
廢事尤不可逞拘墟之見惜小費而誤工以冀
修防鞏固永保安瀾仰副
聖主垂廑策勉之至意除該工現在籌辦情形由河
臣自行具
奏外理合附片奏
聞謹
奏
覽

七三四

奏

兵部尚書署理河東河道總督臣吳璥跪

奏爲查核豫省黄河南北兩岸各廳上年搶辦土

埽工程段落高寬長丈土方銀數循例繕具清

單恭呈

御覽事竊照上年伏秋大汛沁河共長水五次黄河

共長水十三次加以伊洛瀍澗等河同時滙漲

勢甚浩瀚無之非工尚未堵築掣溜迅疾上游

各工溜勢提坐不定或無工處所驟生險要或

於閑舊工又經溜到刷出灣灣生工處處著險

並有對岸重疊生灘全河側注勢成南北頂衝

潰塌堤墒當同時報險紛紛幾有措手不及之

勢臣督率道廳營汛鼓勵兵夫分投竭力搶護

仰托
聖主洪福俱臻平穩具辦理情形節經臣於四月二
十六七月初一二十九八月二十九月初六十
二十一月初五等日先後會同李鴻賓方受疇
奏報在案查南岸各廳内中河廳中牟下汛二堡
順堤搶補新埽九段又五堡舊二壩迤下並舊
三壩順堤埽工之上下空檔共搶廂䕶埽四段
並於舊三壩上首空檔搶廂新埽一段又下南
河廳祥符上汛十九堡迤東㕘壩搶廂新埽三
段人字壩上首廂埽五段又該壩下首先填窪
形築做順水土壩一道廂埽三段並魚鱗壩上
首空檔接埽三段挑水壩及上首各補廂埽三
段又蘭儀廳蘭陽汛蔡家樓第二道錢壩迤東
上䕶厓六埽至十三埽刷塌舊埽八段改廂新
埽六段並小魚鱗壩迤東下䕶厓九埽至十二
埽補廂埽工四段挑水頭壩補埽五段又儀睢
廳睢州上汛東圈堰順水壩補廂新埽六段挑
水壩補廂新埽十一段順水壩迤上空檔處新

廂護埽二段又北岸各廳內衛糧廳封邱汛衛
工大壩雁翅壩中間搶築蓋壩一道廂埽三段
並於大壩裹頭廂埽四段又補廂大壩四十四
五六七等埽四段又下北廳蘭陽十一堡東至
十三堡東北面先填窪形搶築月堤一道堤頂
兩頭加築子堰並於上首搶廂寬大邁埽六段
下首護埽迤下接廂新埽五段追壓穩實以上
各工當因原報入水丈尺不符動用銀數過多
節次嚴駁刪減茲據開歸河北二道詳稱逐工
已遵照刪減並無浮冒開送印摺請奏前來臣
復核無異謹繕具清單恭呈
御覽並遵
旨將所用例價時價逐一比較於單內聲明為此恭
摺具
奏伏乞
皇上睿鑒敕部存核施行謹
奏

工部知道

嘉慶二十年四月　二十一　日

七三五

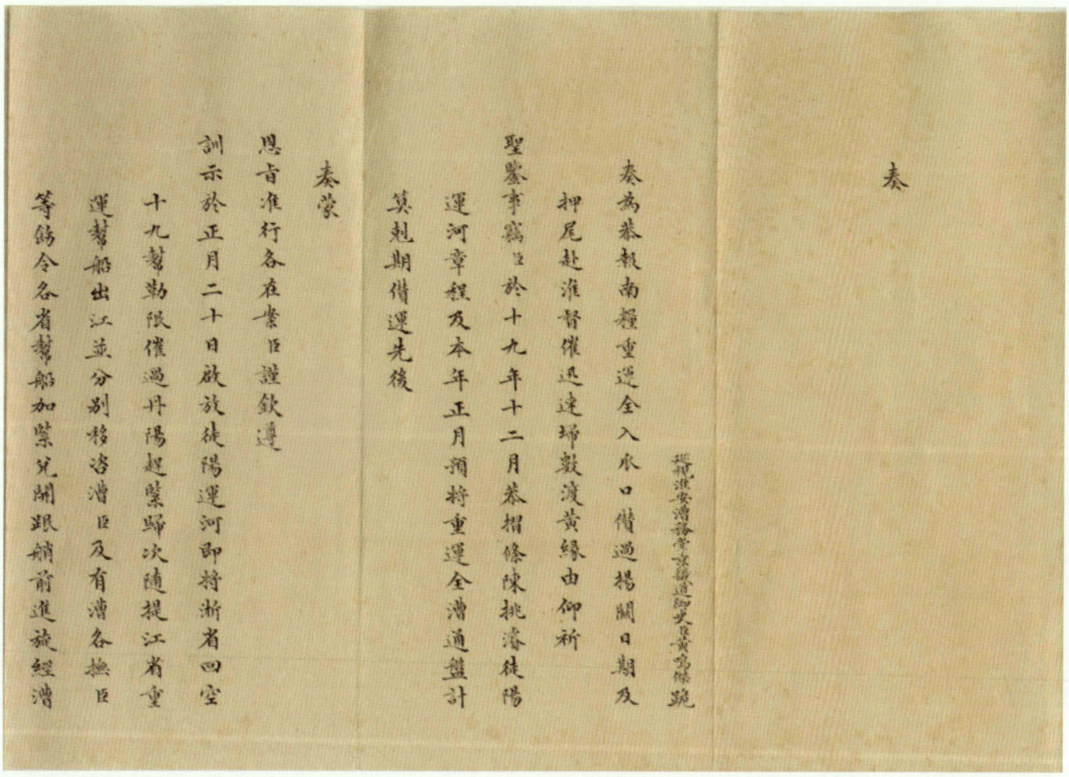

奏

署理淮安漕務常鎮道御史臣黃鳴傑跪

奏爲恭報南糧重運全入水口借過楊關日期及

押尾赴淮督催迅速埽數渡黃緣由仰祈

聖鑒事竊臣於十九年十二月恭摺條陳挑濬徒陽

運河章程及本年正月預籌重運全漕通盤計

算尅期催運先後

奏蒙

恩旨准行各在案臣謹欽遵

訓示於正月二十日啟放徒陽運河即將浙省四空

十九幫勒限催過丹陽趕緊歸次隨提江省重

運幫船出江並分別移咨漕臣及有漕各撫臣

等飭令各省幫船加緊兑開跟綃前進旋經漕

臣撫臣等亦各先後將本年辦理漕務情形具
奏並咨會到臣查照催儹臣於二月間前赴邳宿
一帶照例驗收挑工事畢回淮就近會同漕臣
盤驗首進船隻又即馳回揚州督催二進軍船
過有不能接續渡江者即隨時嚴飭尚不致遲
於脫空惟浙省幫船前准浙江撫臣咨照該省
回空軍艘冰凌剝劃過重必須大加修整業經
奏明該省寧前首幫於三月十四日祀河開行等
因臣查浙江軍船例在蘇松之後江廣之前但
於四月初一日蘇松尾船既經過竣江廣軍船
亦已儹抵儀徵而浙江軍船尚未報到未便任
聽脫空隨將湖北三幫船飭令相機揷檔進口
仍令於前途寬河處所俟浙船趕到即時停讓
仍歸次序行走嗣於四月初六日浙船寧前首
幫方始渡江後船亦即陸續催渡其間或因江
上西風過緊浙船非東風不能開渡暫阻鎮江
又如前提令江廣船隻順乘西風陸續入口其
未經渡江之浙江杭嚴四等四幫截至海寧所

尾幫止於四月二十八日亦均趕緊入瓜計共
七十三幫計船三千一百二十三隻埽數全竣
查十九年漕運於正月初二日開壩至四月十
三日報竣連閏共一百三十日本年漕運於正
月二十日開壩至四月二十八日報竣共九十
八日本年歲運船隻較少計各幫行走之期雖
較上年少三十餘日而計入瓜報竣之期較上
年業已逾十五日臣惟有嚴督尾幫趕緊赴淮
會同漕臣李奕疇於尾幫盤驗後加緊催令渡
黃乘北河水勢充裕趲入東省以期仰副
聖主速漕利運之至意其江廣幫船隨帶木植臣先
期禁止並委將備查驗除例帶天蓬二尺外概
令起除以便船行迅速丁情頗為寧順茲謹將
全漕入瓜日期及押尾赴淮緣由恭摺具
奏伏乞
皇上睿鑒再江省入春雨暘時若現在二麥次第穫
收米價漸平民情悅豫合併奏
聞謹

奏

勉力催行不可遲滯

嘉慶二十年四月二十八日

再臣前委員弁由金鄉單縣至鉅野一帶緝拏
要犯業經
奏明在案兹據該委員滋陽縣縣丞王仲澍蘭山
縣縣丞楊繼雲千總程清寧等稟報該員等在
鉅野西南鄉偵緝訪有楊十兒係次要逆犯在
濟寧衛屬之大張家莊張添修家藏匿張添修
向係窩匪該犯楊十潛住已有數月藏身甚固
該員等得有風聞即密赴該處踹實設法購線
并會同該縣營汛於四月十四日晚齊至張添
修家掩捕當將楊十拏獲交縣訊供又據鉅野
縣知縣王有熙稟稱提驗楊十面黑有麻訊據
供稱原籍山西洪洞縣人遷居山東東阿縣屯
村鋪伊父楊殿魁已故家止有母周氏嘉慶十
八年七月間伊到過直隸大名府地方做工是
年八月二十四日回家後曾竊牛隻因有畢紹
魁領同事主找贓伊與爭毆後聞畢紹魁因傷
身死等語覆加研訊供詞閃爍游移現將該犯
解省等情臣查次要人犯名單内有楊十兒係

陳顯之壻身瘦面黑無鬚盧成村人係進城滋
事之犯現獲該犯楊十驗係面黑而麻似有未
符但該犯於十八年七月到過大名於八月二
十四日回家何以不在東阿居住茲又深藏鉅
野窩匪之張添修家數月情形種種可疑且係
犯竊毆斃人命應拏之犯必應嚴行訊究現已
差弁馳往迎提計於本月二十四五日即可到
省臣當親提詳鞫一面委員馳赴東阿屯村鋪
密查其母周氏是否現存其妻是否陳氏并飭
拏張添修到案確究窩藏情由得有切實供詞
再行具
奏再楊十一犯是否確係單開次要逆犯楊十兒
尚須審訊是以未敢由驛具奏謹先附片
奏
聞伏乞
睿鑒謹
奏
審明具奏

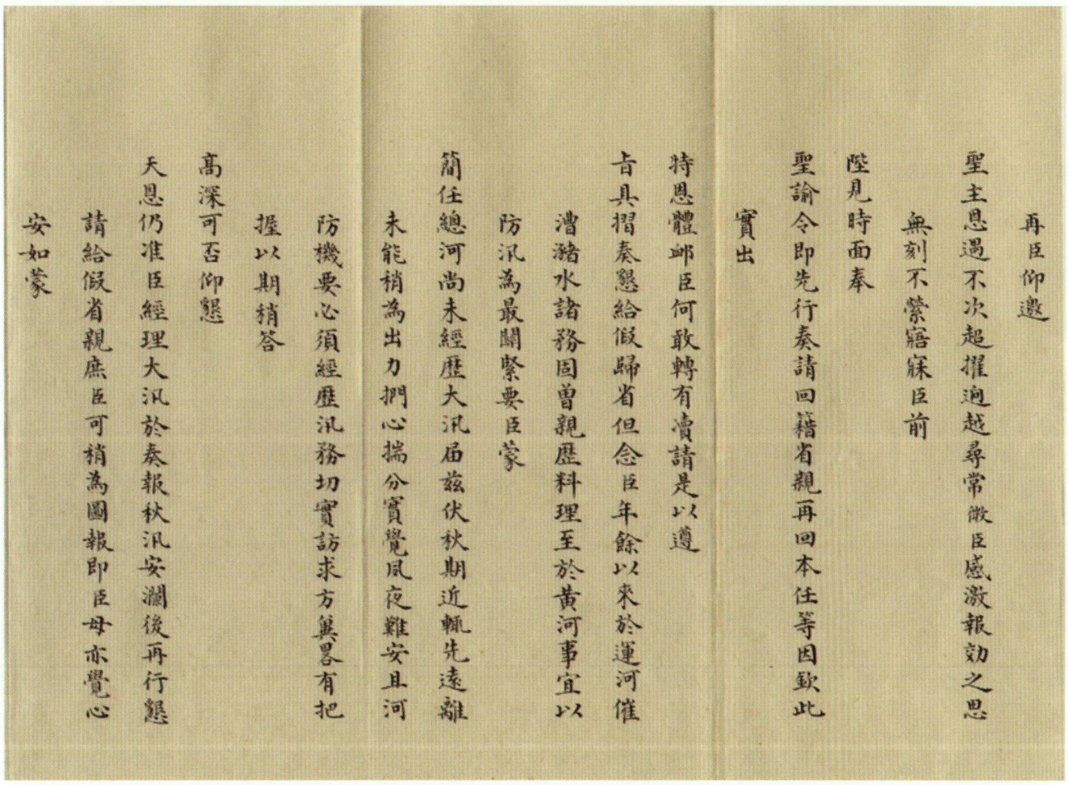

再臣仰邀
聖主恩遇不次超擢迥越尋常微臣感激報効之忱
無刻不縈寤寐臣前
陛見時面奉
聖諭令即先行奏請回籍省親再回本任等因欽此
實出
特恩體䘏臣何敢轉有瀆請是以遵
旨具摺奏懇給假歸省但念臣年餘以來於運河淮
漕瀦水諸務固曾親歷料理至於黄河事宜以
防汛為最關緊要臣蒙
簡任總河尚未經歷大汛屆茲伏秋期近輒先遠離
未能稍為出力捫心揣分實覺夙夜難安且河
防機要必須經歷汛務切實訪求方冀畧有把
握以期稍答
高深可否仰懇
天恩仍准臣經理大汛於奏報秋汛安瀾後再行懇
請給假省親庶臣可稍為圖報即臣母亦覺心
安如蒙

俞允並求

諭令吳璥多留旬日將一切緊要機宜再為悉心講

論之處出自

聖裁臣頂戴

恩慈心切報稱不揣冒昧謹據愚忱附片

奏懇伏乞

皇上睿鑒訓示謹

奏

可嘉之至另有旨

再本年南粮頭進幫船已於本月十九日全入
臺莊東境二進首幫亦於二十日入境臣查各
湖瀦蓄充盈閘河浮送裕如幫船陸續北上行
走甚為迅速唯衛河水出豫省來源較弱臨清
閘外古淺處所必須起剥前進廵漕臣阜秉恬
親督添派剥船隨處撈濬辦理極為認真臣昨
由臨清夏津一帶沿河查看並經嚴飭各該州
縣集夫撈濬添船起剥不任稍有延誤至黄河
各工現已分派候補道葉觀潮在北岸協防候
補知府王世臣婁青在南岸帮辦據該道趙麟
唐仁埴稟報春鑲埽工以及補鑲埽段均已擇
要妥辦其應增培大隄亦已修築高厚睢工各
隄壩俱極堅覃上下游河勢亦甚暢順各工一
律穩固洵堪仰慰
聖懷理合附片奏
聞伏乞
皇上睿鑒謹
奏

欣慰覽之

七三六

奏

兵部尚書署理河東河道總督臣吴璥跪

奏爲黄河水勢增長旋即消落各工平穩並豫省

上南歸河兩廳搶鑲埽段穩固及各工料物人

手業經先事籌備以資應手各緣由恭摺具

奏仰祈

聖鑒事查夏至前後漸近伏汛兼之豫東兩省連得

澍雨河水時有長落先據各道廳禀報本月初

八九至十三四等日陸續長水一尺二三寸至

二尺三四寸十五六日即見消動現據陝州禀

報萬錦灘黄河於本月二十二日陡長水二尺

各廳先後積長水三尺四五寸至四尺二三寸

不等亦即漸次消退查夏令水勢雖經增長睢

工溜走北崖形勢並無更改各埽壩均極鞏固兩岸各廳河流亦俱順暢惟豫省南岸上南廳裴昌廟及十八堡舊工淤閉多年茲因溜勢南趨存灘刷盡並將舊埽滙塌傷及隄身經開歸道唐仁埴督飭廳營先將裴昌廟四埽上下段並十八堡頭埽上下段搶修出水遞下舊埽滙淨補鑲五段足資抵禦其溜勢稍輕及舊埽根底未盡之處再行察看情形概從緩辦以歸撙節又歸河廳廣下汛十七堡民堡舊埽遞東圈堰單薄向無埽工該處對岸上首河勢坐灣南趨塌及堰根經該廳營先後築做新埽九段亦已鑲壓穩實此外各廳工程間有單矮行蟄埽段隨時加鑲悉屬平穩臣查大汛修防固須諳悉情形相機籌辦而防守之策尤在銀料數餘人手齊集足應緩急之需方可有備無患豫東黃河迎溜各工先經臣與前河臣李鴻賓飭令各道廳於春工案內擇要估鑲並查驗歲料嚴催新估增培隄工俾資保衛而大溜趨向無定

有工處固須嚴防無工處亦恐生險若非料物
寬餘巡防周密即恐有臨事周章之慮臣因時
近大汛復會同撫臣方受疇飛飭各該道查照
上年一切防守章程妥爲籌辦凡有緊要處所
酌添料物實貯在工不准輕動以備要需並令
分貯錢文爲隨時雇覓夫車之用兩岸工段綿
長在在需員業經候補道葉觀潮候補知府陳
在中王世臣婁青俱能諳練河務臣並與方受
疇會檄分派南北兩岸各工協同河北道趙麟
開歸道唐仁埴實力巡查務使事事有備處處
有人庶可防範周密以期共保平寧上慰
聖廑所有黄河長水旋消豫省上南歸河兩廳搶鑲
埽段穩固並預籌料物分派員弁以資應手各
緣由理合恭摺具
奏伏乞
皇上睿鑒謹
奏
知道了

嘉慶二十年五月 二十九 日

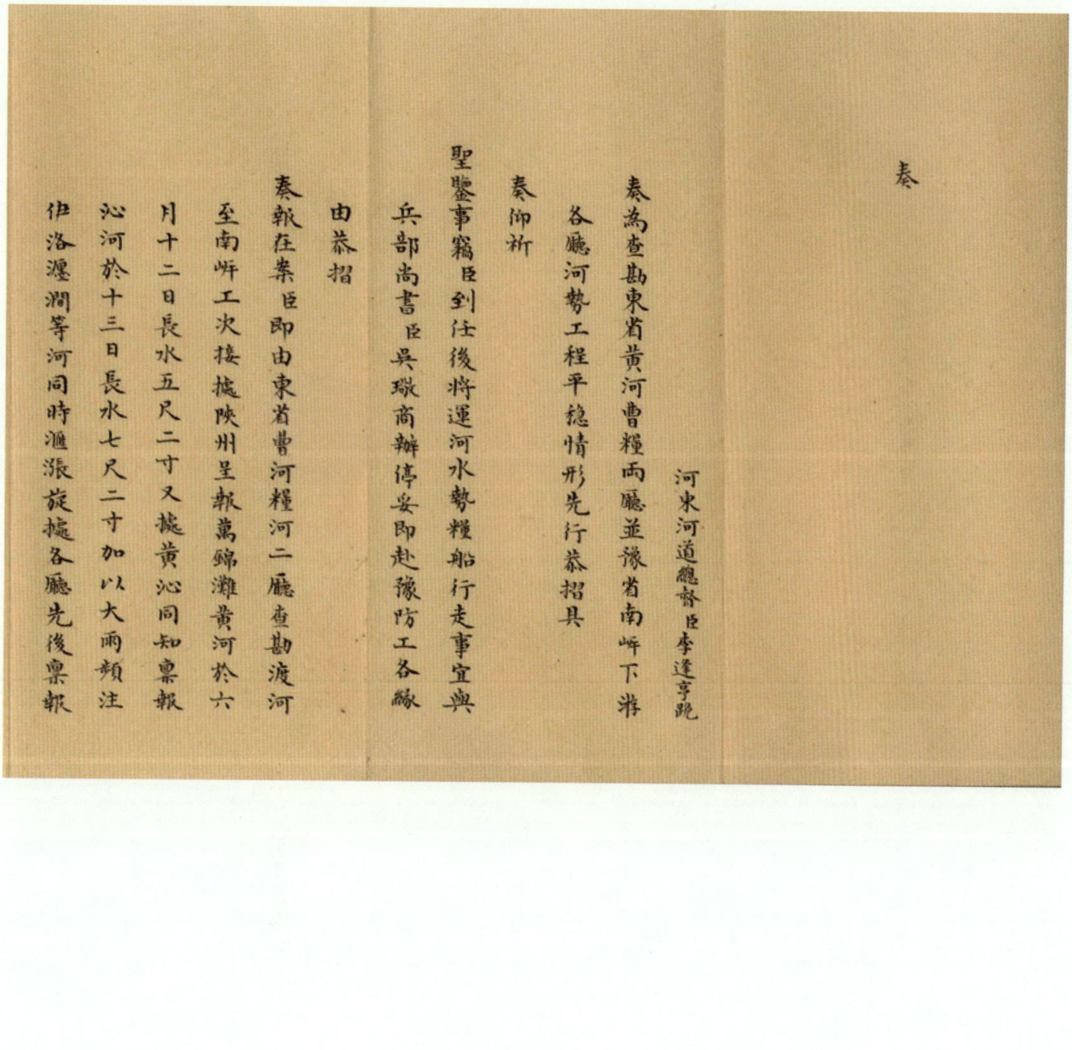

奏

河東河道總督臣李逢亨跪

奏為查勘東省黄河曹糧兩廳並豫省南岸下游

各廳河勢工程平穩情形先行恭摺具

奏仰祈

聖鑒事竊臣到任後將運河水勢糧船行走事宜與

兵部尚書臣吳璥商辦停妥即赴豫防工各緣

由恭摺

奏報在案臣即由東省曹河糧河二廳查勘渡河

至南岸工次接據陝州呈報萬錦灘黄河於六

月十二日長水五尺二寸又據黄沁同知稟報

沁河於十三日長水七尺二寸加以大雨頻注

伊洛瀍澗等河同時滙漲旋據各廳先後稟報

黄河於十三四五等日共積存長水七尺六七
寸至九尺三四寸不等兩岸間有出槽漫灘水
抵堤根一二三尺臣沿河履勘此次長水雖屬
浩瀚而河面寬衍溜勢循軌各廳埽壩工程先
已擇要廂高足資抵禦曹河廳屬之曹中汛堤
工前經署河臣吳璥

奏明加培現在緊要之處已築做全竣其未竣之
工現因灘水佔碍取土維艱臣察看堤埝尚高
不甚吃緊可以暫行緩辦如水勢續長堤頂積
存土牛甚多借用趕築子埝隨後積還亦可無
悞具已估未辦之工限於秋後得土時補築南
岸之歸河廳毘連江省察看上下河勢均屬暢
順工程平穩商虞廳屬虞城上汛十三四堡河
勢坐灣先經築做順壩三道茲二三兩壩業已
著溜形勢較為吃緊經開歸道唐仁埴督率廳
營各搶廂新埽三段臣細察情形尚須於上首
各接廂埽二段俾挑溜更為得力睢寧廳睢下
汛十三堡係乾隆五十二年舊龍門本年睢工

合龍後河勢逼注於護岸舊埽上下接廂新埽
五段臣查該處溜勢側注甚為湍激尚須於新
埽下再接雁翅埽一段以免搜後所恃埽身寬
厚足以抵禦嚴飭廳營倍加小心日夜防守又
五堡東西挑壩各一道舊有埽工十八年各埽
淤閉壩亦淤平本年五月河勢南趨先將舊壩
補還並將西挑壩補埽五段東挑壩補埽四段
足資挑護其雎工大壩蓋壩挑壩並一切善後
工程臣逐細查看俱極堅穩河勢緊靠北岸行
走暢流東注形勢實可放心臣此次勘查南北
各廳雖尚未遍覽黄河全局而就所到之處細
心體察堤寬埽厚雖遇水長溜湧亦足資捍禦
惟在防守慎密籌備周安定可安瀾普慶上慰
聖懷臣一路嚴飭道廳等按段分駐員弁兵夫晝夜
巡查有工處固宜慎重無工處更須嚴防并飭
於上下適中之地分貯錢文用資緩急以期處
處有備臣仍前赴上游挨廳查勘容再隨時具
奏外所有查過東省曹糧二廳並豫省南岸下游

各廳河務工程平穩情形理合恭摺具

奏代乞

皇上睿鑒謹

奏

時刻留心切勿大意

嘉慶二十年六月 二十二 日

七三八

奏

河東河道總督臣李逢亨跪

奏爲查勘黄河北岸河勢工程平穩情形恭摺具
奏仰祈
聖鑒事竊臣於六月二十八日將查過南岸上游各
工形勢恭摺
奏報在案臣即於滎澤口渡河順查北岸各工正
值黄沁二河落水之後河勢歸槽均屬循軌暢
順黄沁廳秦家厰距河甚遠現無埽工沁河伏
汛長水三次蓮花池一帶埽工均已垂蟄鑲壓
穩實衛糧廳封邱汛衡工大壩北面越堰一道
舊有防風埽工長三百二十丈係嘉慶十七年
鑲做連年汛漲藉資擋護惟舊埽根底空朽如

將來河勢北趨應再補鑲新埽此時尚可從緩
又祥河廳祥符汛十五堡對岸生灘河勢側注
現有迎溜掃灣之勢本年桃汛内於順隄十四
埽迤下空檔鑲埽五段經前河臣李鴻賓具
奏在案嗣於入伏前後連次漲水溜漸下坐復於
新五埽以下接鑲新埽三段迤下有上年築做
魚鱗壩挑壩各一道本未鑲埽今大溜湧注潰
刷壩身經河北道趙麟督率廳營於魚鱗壩鑲
埽五段挑壩鑲埽四段得資保衛又下北廳蘭
陽汛十一堡迤東上年八月對河淤灘已成入
袖之勢甚為着重本年春間新做邊埽現量長
三十二丈挑溜開行極為得力圈灣内埽靠土
工堅實南面共鑲護埽二十三段先後刷墊追
壓亦極穩固東隄頭鑲做裹頭埽三段托住溜
勢免致迤下生工大勢甚為平穩至曹考廳河
勢開行現無要工臣因查南北兩岸各廳情形
下北祥河兩處最為緊要該兩工自桃汛至今
鑲埽未停是以存料較少不敷秋汛修防現飭

道廳酌量添購並多積土方預備錢糧以資有備無患派委候補道葉觀潮候補知府陳在中專駐該工督率廳營加謹防守益昭慎重至各廳增培土工現已陸續完竣簽試尚屬如式間有不能保錐之工嚴飭翻築尚有未完工段因水長漫灘土塘淹浸現已消落即飭令加緊趕辦不任草率延悞臣現駐劄蘭陽工次仍上下往來調度策應以冀保護萬全所有臣查過北岸各廳河勢工程平穩情形理合恭摺具

奏伏乞

皇上睿鑒謹

奏

知道了

嘉慶二十年七月　廿五　日

七三九

奏

河東河道總督臣李逢亨跪

奏爲恭報伏汛安瀾仰慰

聖懷事竊照本年入伏以來黄河積長水一丈零九寸湍湧異常兩岸歷來高灘亦多上水之處各

廳埽壩工程紛紛報蟄而南岸之上南蘭儀杜岸之祥河下北等廳尤爲險要臣正在沿隄查

工分投策應所幸長水雖驟消退甚速或塌埽吃緊之際溜忽開行或通宵滂沱之時日忽晴

霽俾兵夫得以用力旋即搶護平寧其漫灘水浸隄根最慮風浪而近日風平浪静處處完固

今已節届立秋黄河道廳稟報伏汛安瀾前來

又據運河道廳稟報三進尾幫已於六月二十

一日全入東境運河水勢充足加緊催儹可期
連檣北上臣查工周歷東豫各州縣地方到處
禾稼茂密秋成在望從來地方河工相表裏地
方豐收即河工太平之兆此皆仰賴我
皇上至誠感召之所致臣欣慶之餘益深敬畏現在
伏汛甫過秋汛方長防守尤宜加謹臣前於挨
工查看時見有埽段綿長溜勢吃緊之處恐其
料物不充即諄飭道廳赶緊添備或於隣汛撥
運總期儲備有餘轉瞬新料登場更可有恃無
恐茲黃河兩岸均已查勘周遍細察河流形勢
俱為順軌竊幸與永定河勢派工程雖有大小
之分而相度機宜修守總是一法臣惟恪遵
聖訓實心任事虛己講求勤慎二字刻不可忘似覺
稍有把握可以籌備萬全茲兵部尚書臣吳璥
有信來現在曹單一帶兼顧重運隨後由糧河
廳前來防汛更可隨事商酌並於查工便道面
晤撫臣方受疇新任藩司姚祖同亦深以河工
緊要共期加意協防臣惟有實心實力保護平

安以期仰慰

聖懷所有伏汛安瀾緣由理合恭摺具

奏伏乞

皇上睿鑒訓示謹

奏

欣慰覽之

嘉慶二十年七月　初五　日

奏

兵部尚書臣吳璥跪

奏為運河水勢旺盛酌令分洩歸湖以裕瀦蓄兼

保堤工一面嚴催江廣重運儹趕北上並黃河

伏汛長水已消工程平穩各情形恭摺具

奏仰祈

聖鑒事竊臣於六月初二日恭報交卸河督印務一

摺奉到

硃批俟九月中旬來京任事此時盡心佐治河務詳

細告知逢亨特諭欽此臣跪誦之下仰見我

皇上仁慈體恤

訓勉諄詳戴

德彌深圖報倍切河臣李逢亨到任後與臣商論黃

運湖河一切事宜隨即赴豫防汛而東境内三
進幫船正在儹行喫緊之際廵漕臣阜東恬赴
臺莊迎催臣在濟寧督辦查上年各湖收水本
極充盈運河舖灘底水亦甚敷足迨六月初旬
以來疊次大雨如注山泉旺發汶泗府洸諸河
滙流入運是以運河積長至一丈五六尺臨運
堤工多有出水數寸及水平堤頂者甚為險要
設或潰塌旁洩必致有礙運道兼恐泛淹田廬
所關非細臣督飭該道廳調派員弁搶築子堰
無分雨夜加謹防守一面將東西兩岸各斗門
單閘水口啟放入湖堤工既得保全而湖瀦亦
資收蓄近日漲水漸消堤工穩固三四月間宣
放各湖濟運所消之水現仍陸續加增收還舊
誌有盈無絀汶泗府河民堰閒有塌卸處所撫
臣陳預已飛飭該地方官堵築查勘於運道並
無妨礙查漕船截至六月二十九日已出東省
柘園境五十五幫三進在前各幫挽行尚速其
江廣各幫船身本已笨重而湖北三幫因攜帶

木植過多且所帶剩船較大亦俱載有木植以
致行走甚遲八閘建瓴溜急縴挽倍為費力巡
漕臣卓秉恬恐後幫為其阻壓督同運河道洪
範副將常清元守備王清泰等在臺莊韓莊一
帶竭力設法籌催始得挽出八閘並沿路嚴行
督儹於七月初四日湖北三幫已催過濟寧在
後之湖南三幫江西十三幫所帶木植不多剩
船亦少行走較為便利十字河因大雨發水挾
沙擁注河泓淤墊當即撈挖疏通尚無阻滯俟
全過南旺分水口轉入下水即可迅速北上衛
河水勢疊漲汶水雖旺僅高衛水一二寸恐致
倒灌阻運濟東道德啟稔知原任臨清知州楊
嗣曾熟悉情形即令會同恩縣張恒將四女寺
減壩啟放洩入支河以分衛河異漲得免捫口
之虞漕船挽出臨清閘口遄行無阻楊嗣曾及
各該廳縣仍節節籌畫查催均能奮勉出力巡
漕臣卓秉恬往來督辦尤極認真俟全漕尾幫
挽過濟寧亦即率同道將押送出境不致稍有

稍遂洵堪仰慰
聖廑至黄沁兩河亦因上游雨多山水滙注同時疊
漲據各道廳稟報伏汛期内各廳水勢屢長屢
消計長水最大之日積至八九尺及一丈零九
寸不等比上年更為浩瀚幸各工緊要埽壩已
於春夏間預為廂築高寬長水落水時凡有刷
蟄埽段及新生埽工當經河北道趙麟閒歸道
唐仁埴會同候補道葉觀潮及候補知府婁青
王世臣陳在中分投督同廳營等隨時趕緊加
廂補廂均足抵禦並經撫臣方受疇督率巡查
籌備銀料俱得源源應手其兩岸大堤上年已
培厚增高今春又擇要估築是以伏汛長水雖
大而堤工尚高出水面八九尺不等得以捍衛
無虞惟工溜勢開行大壩二壩盖壩等工均極
堅鞏河臣李逢亨親赴南北兩岸週歷詳查復
將迎溜喫緊工段應行築壩廂埽之處指示道
廳等趕緊搶辦認真修守並查明埽壩餘長各
工酌飭添購料物以資有備各處堤身水溝浪

窩亦俱填墊堅實六月下旬以後上下游水勢
以次遞消暢流東注漫灘水亦逐漸消退現在
伏汛已過各工一律平穩而經此盛漲之後凡
溜勢趨向以及堤埽緩急情形已可得其大概
防守較有把握惟秋汛正長倍當勤慎小心實
力保護臣現由曹單一帶溯上至蘭陽廟工與
李逢亨面商一切相機策應其分駐工次時遇
有應行籌辦事宜仍隨時往返札商並與撫臣
方受疇併力防範恪遵
訓諭盡心佐治務保安瀾以冀上紓
宵旰稍酬
高厚鴻慈於萬一所有運河水平堤固湖瀦充盈嚴
催江廣重運儹趲北上並黃河伏漲已消工程
平穩各情形理合恭摺具
奏伏乞
皇上睿鑒謹
奏

知道了

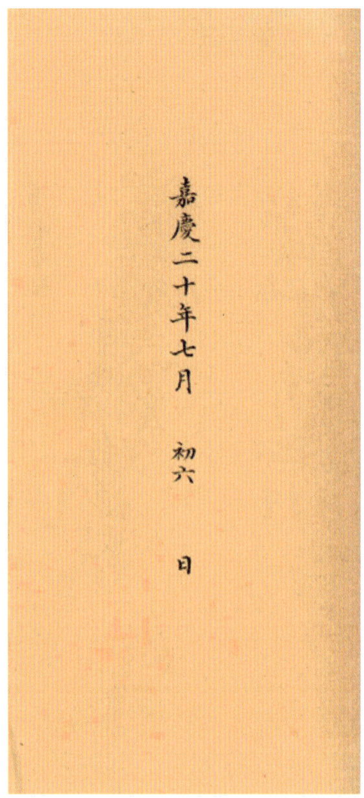

嘉慶二十年七月　初六　日

七四一

奏

河東河道總督臣李逢亨跪

奏為交秋後黃河水平工穩仍須寬備料土加意防守以期永保安瀾恭摺具

奏仰祈

聖鑒事竊臣將查過豫東黃河南北兩岸各廳河勢工程並伏汛安瀾情形節經

奏報在案臣查本月初四立秋以後河水日見消落伏汛盛漲時積長至一丈九寸今已陸續消去七尺一寸現在僅存長水三尺八寸各廳埽段節經鑲修均屬高穩惟汛期正長距霜降尚有七十餘日來源必有續長而秋水淘底搜根較伏汛尤為緊要向來霜降前後常有盛漲搶

險之事是以防守倍應慎重必須料土錢糧籌
備充裕庶免臨事周章臣日前周查各廳歲辦
稭料因春伏兩汛節次鑲工動用存工漸少其
添備之料尚在購運細究其故前因雎工用料
甚多就近搜羅殆盡旋值青黄不接料少價昂
又因大雨路滘遠處車運不易是以稍遲臣細
加訪察尚係實在情形因於工多料少之處察
度隣汛料垛酌量撥發以濟急用現在秋稭豐
茂旬日内外可以次第登場近工所產儘多預
購亦可平價已分别嚴飭各該廳除將已經發
辦之料尅期買足如數報驗外其埽灣迎溜緊
要處所乘時發價添買劃分新舊另廠存貯分
委道府大員監堆蓋用灰印編立字號不任牽
前扯後稍有混淆由臣驗收後遇有要工急需
方准動用如工程平穩即查明封貯留作來年
歲料既可期有備無患仍不致任意多糜趁此
水落灘高取土較易於緊要處所多為堆積併
於適中地方寬儲防險錢文分飭廳營文武汛

及防工委員住宿隄頂嚴督兵夫無分雨夜循
環巡防使節節聲息相通而處處備防有具臣
往來策應務期通工始終不懈協力保護萬全
以仰副
聖主慎重河防適格妥畀之至意所有現在籌備防
守秋汛各緣由理合恭摺具
奏伏乞
皇上睿鑒謹
奏

倍加敬慎以期鞏固

嘉慶二十年七月　初十　日

七四二

奏

兵部尚書臣吴璥
河東河道總督臣李逢亨跪

奏爲處暑前黄河水勢異漲各廳工程險要分投搶護平穩情形恭摺奏

聞仰祈

聖鑒事竊臣李逢亨前將籌防秋汛添備料物嚴密防守並臣吴璥赴豫協防各緣由先後繕摺恭

奏在案查黄河前月長水消落之後各廳誌樁僅存長水二尺八九寸至三尺六寸不等嗣據陝州具報萬錦灘黄河七月十二日陡長水七尺沁河亦報陡長水六尺五寸並上游各山河漲發同時滙注旋據各廳稟報黄河於十三四日陡長水自八九尺至一丈一尺四寸其最大之

處積存長水至一丈五尺且兩日之内陡長丈餘實數十年來所未有奔騰浩瀚滂湍異常兩岸多有漫灘水抵隄根三四五尺至一丈二三尺隄頂間有出水數寸及與水相平處所臨黄埽工前已加鑲高厚乃此次長水過大且驟以致平水漫水者不一而足迎溜之埽層層掀揭溜逼隄身各廳報險者紛紛疊至臣等飛飭各該道及在工候補道府等分馳各處一面將卑矮大隄連夜搶加子堰一面搶護埽工因北岸祥河下北二廳尤極險要臣等先將下北喫緊埽段督辦平穩即馳赴祥河查勘該廳十五堡河流掃灣本年新鑲埽段因大溜撞擊段段入水並十五堡上首順隄舊埽内八埽至十四埽共七段計長七十四丈九尺上年淤閉被溜衝塌潰及隄身又於落水時溜勢上提十四堡頭埽上首至南鐵埽尾原有空檔長七十一丈向無埽工今因溜湧塌隄情形喫緊應添新埽六段該二處片段甚長實為至險臣等督同河北

道趙麟候補道葉觀潮候補知府陳在中鼓勵
員弁兵夫奮力搶護幸有前次添備之料復分
遣幹員設法購運撫臣方受疇並委祥符縣知
縣殷秉鏞到工催料催夫藩司姚祖同委員解
銀到工一切俱能應手竭三晝夜之力將新生
及補鑲埽工共十三段搶築出水並將刷蟄各
埽段分別趕鑲追壓漸臻穩定幸保無虞又衛
糧廳屬封邱汛越堤舊有防風埽長三百二十
丈年久朽腐現因灘水灣注趕緊啟折補鑲以
資抵禦而北岸下游及南岸報險各廳亦均關
緊要臣等復分投策應撫臣並就近督防查中
河廳中牟下汛頭堡下首魚鱗壩舊埽三段並
接連二堡順堤藏頭埽一段上年淤閉停修兹
激溜滙塌經開歸道唐仁埴候補知府婁青率
同廳營搶補新埽四段又蘭儀廳蔡家樓迤下
戚村斜挑壩舊埽五段並舊堤頭護堤埽六段
淤閉停修兹全河下注舊埽先後刷塌一律搶
補新埽又歸河廳虞城下汛十七堡民堡新埽

九段下首河勢南趴建築魚鱗壩順水壩各一
道大溜塌及隄身署歸德府知府王世臣會同
廳營趕緊搶護各鑲新埽二段並於魚鱗壩迤
上至新埽九段止空檔長三十七丈溜刷堰身
一并補鑲新埽得資保衛此外各廳刷蟄埽段
分投擇要竭力搶鑲悉臻穩固其東省曹河糧
河二廳地勢較低灘水更大不惟隄頂多有平
水之處且有水高隄頂數寸者甚為險要兗沂
道斌良督率搶加子堰並於隄根水深處分别
鑲埽掛柳加緊防守幸保平穿伏查此次長水
為歷來罕有之異漲各廳報險頻仍在在喫緊
兩岸隄工一千餘里普律出槽其浸及隄根水
深處甚多尤為着重臣等目擊情形慄慄危懼
幸河水消落甚速天晴風静一律保護平穩此
實仰賴我
皇上至誠感召　叩謝
天恩
河神默佑得以化險為平通工官弁兵民無不同
神佑
聲歡慶臣等感幸之餘倍深敬畏現在節逾處

署河水日落僅存長水五尺二寸。灘水亦漸消
退，大勢極為平定。但秋汛方長，臣等惟有益矢
慎勤，周密防守，務期瀾安工固，上慰
慈懷。至各廳料物，原照向來定額按工購貯，各工加
鑲埽段，亦係比較常年盛漲時高矮尺寸以為
可資抵禦。乃本年異漲較往年大至四五尺，遂
至處處水上埽面，搶鑲急迫，段落又多，料物勢
難敷用。而安危在呼吸之間，不能不用重價添
買。雖此次趕辦，幸無缺悞，究覺料少工多，難資
應手。臣等再四籌商，尚應寬為購備。現飭道廳
乘此新料登場，及時採辦，用則足以濟急，不用
則留作來年歲料，於錢糧亦無虛糜。至各廳預
備丙子年歲料，並應於常額之外酌為添辦，趕
早購貯，庶未雨綢繆，更可有備無患。其兩岸大
隄經此番異漲漫灘之後，灘面愈見淤高，隄身
多有單薄處所，亦應分別緩急，酌量辦理。臣李
逢亨現飭道廳擇其最要者先行確估增培，於
白露後即親赴各工，周歷詳查，較量盛漲水痕

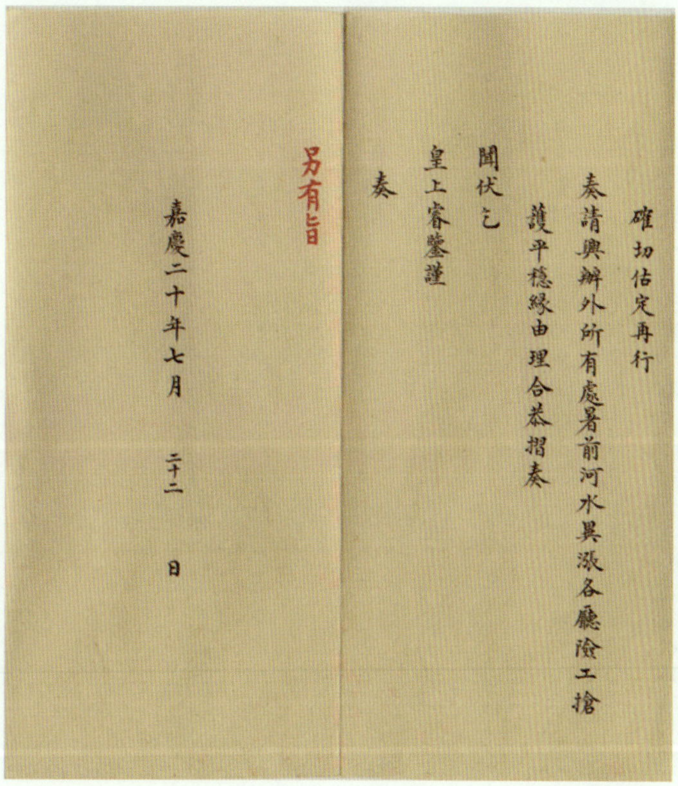

確切估定再行

奏請興辦外所有處暑前河水異漲各廳險工搶

護平穩緣由理合恭摺奏

聞伏乞

皇上睿鑒謹

奏

另有旨

嘉慶二十年七月　二十二　日

七四三

奏

江南河道總督臣黎世序跪

奏為立秋後黃河水勢盛漲各工修防平穩辦理

情形據實奏

聞仰祈

聖鑒事竊照江境黃運湖河伏汛安瀾臣會同督臣

百齡恭摺

奏報在案本年伏汛內洪湖水勢非常異漲黃水

亦同時見長淮揚一帶危險之至臣會同督臣

督同道將廳營竭力防守至立秋後黃水見消

五尺餘寸湖水暢出清口始見消動而山盱壩

水下注揚河揚糧水勢驟長拍岸平堤工程喫

重臣與督臣同赴下游督同道廳啟放車邏南

閘兩壩至荷花塘一帶查勘情形防守平穩至
七月中旬湖水逐漸見消二尺餘寸高堰誌椿
存水一丈六尺察看大勢可以無虞臣即自清
江起身赴徐州一帶查勘工程督防秋汛逄次
接據武陟縣呈報沁河於七月初八日長水三
尺六寸又於十三日長水六尺五寸陝州呈報
萬錦灘於七月十二日長水七尺滙流下注江
境黄河於七月十三日起至十九日各工次第
報長水五尺餘寸至七尺餘寸不等蕭南豐北
兩廳比本年伏汛水勢尚大一尺八寸幸兩岸
堤工一律加高伏汛長水已經消落河面有所
容納而南北兩岸已多有漫灘之處浩瀚奔騰
情形險要徐州道嚴烺見此次長水大而且驟
即將天然閘啟放分洩自邳睢宿桃以下長水
情形得以輕減至七月二十日即見消動至二
十四日上下各廳已次第消水四五六尺不等
本年黄水每次見長一日内竟至三四尺之多
長發既驟消落亦速體察情形係因河身較前

深暢之故蕭南廳田家樓對岸十八年取直挑
河現已全行吸溜刷滌寬深舊有埽工可冀漸
次淤閉形勢實為順利黄河兩岸各廳埽工經
大溜搜刷蟄塌之處甚多各道將廳營分投晝
夜搶廂均臻平穩睢南廳屬李家庄邳北廳屬
夫七堡迤下舊築各道碎石挑壩中間空檔溜
刷堤坡均搶廂護埽夫七堡迤下又添築柴土
挑壩一道亦用碎石拋護銅沛廳屬之李家樓
迤下溜刷外灘將近堤根趕築土壩四道用碎
石拋做裹頭挑溜開行外南廳南岸汎大堤臨
湖一面因水抵堤根風浪撞刷廂做護埽外河
汎兵四堡無工之處溜勢坐灣逼近堤身酌紮
木龍兩架挑溜護灘以免生工各廳埽外拋護
碎石工程現查銅沛睢南邳北宿南宿北外南
六廳新舊埽工內有蟄廂不已之處一經拋護
碎石溜勢即見開行實有化險為平之效其工
段丈尺統俟辦竣後另行查明開單具
奏洪湖水勢經黄水疊次盛漲仍然暢出清口東

清樂黄兩壩口門均刷寬至四十餘丈刷深至
五丈餘尺清水暢行外出刷黄實為近年所罕
見下游山海各廳河身得此清水滌刷益見寬
深至洪湖水勢漸消即應趕為收蓄為將來敵
黄濟運之用臣與督臣百齡商定早經給發錢
糧備料貯工現已督飭該管道將等先將信壩
進占堵閉其智壩及仁義兩道引河俟水勢再
消即次第趕堵東清樂黄兩壩口門均已飭令
盤頭隨後相機收束堰盱石工交秋以來雖間
有西風仰邀
皇上福庇均非猛驟並無掣損之處惟舊仁義禮三
壩護埽間有掣塌均隨時補廂完固裡河廳運
口頭二三閘上下兩岸縴堤被溜掃刷之處酌
廂護埽臨湖堤堰卑矮之處分别加幫磚工卑
矮掣塌之處分别接護並廂做馬鞍埽戧以資
捍禦揚河揚糧一帶兩岸堤工凡被溜掃刷及
迎湖受浪之處均廂護埽以資擄護徐城以上
十八里屯滚壩各工均已完竣臣現在驗收另

行專摺具
奏此後如有盛漲即可啟放分洩本年黄水初歸
故道復值河湖並漲各廳埽工停修年餘乾擱
日久率多朽腐廂工用料不免較多臣不敢顧
惜小費現均增發錢糧酌添料物比歷年用數
寬為預備以期有備無患所有添辦料物責成
各道嚴行查驗大汛後如有餘存即留為明年
之用如廳員中有任意浮糜捏冒開銷即據實
揭參斷不敢稍為隱飾現在漲水雖消而秋汛
正長臣惟有督率通工道將廳營及汛委員弁
等周密巡防竭力修守以期工固瀾安仰副我
皇上水土平成之至意所有立秋後水勢盛漲各工
修防平穩辦理情形相應據實由驛
奏慰
聖懷伏乞
皇上睿鑒謹
奏
敬慰覽之

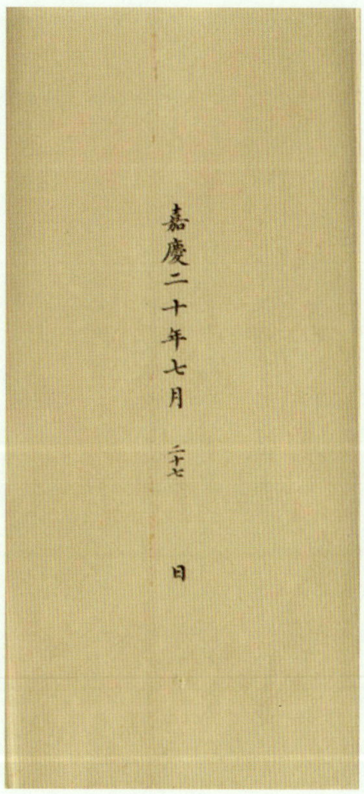
嘉慶二十年七月 二十七 日

七四四

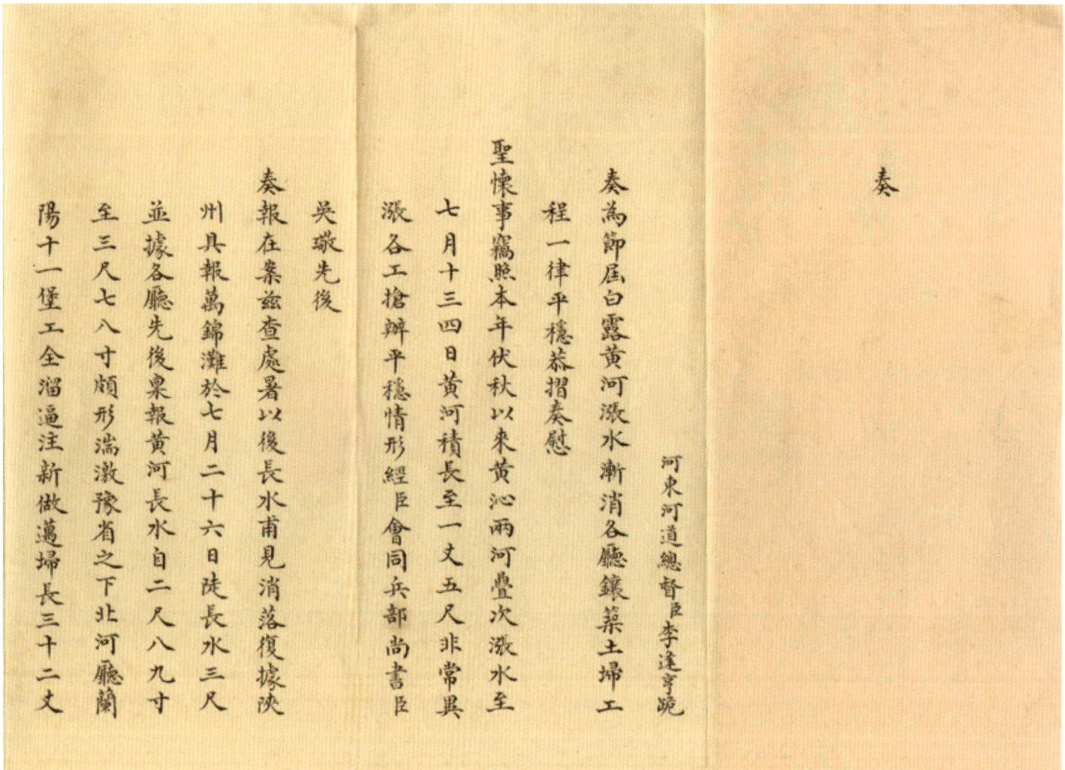

奏

河東河道總督臣李逢亨跪

奏為節屆白露黃河漲水漸消各廳鑲築土埽工
程一律平穩恭摺奏慰

聖懷事竊照本年伏秋以來黃沁兩河疊次漲水至
七月十三四日黃河積長至一丈五尺非常異
漲各工搶辦平穩情形經臣會同兵部尚書臣
吳璥先後

奏報在案茲查處暑以後長水甫見消落復據陝
州具報萬錦灘於七月二十六日陡長水三尺
並據各廳先後稟報黃河長水自二尺八九寸
至三尺七八寸頗形湍激豫省之下北河廳蘭
陽十一堡工全溜逼注新做邁埽長三十二丈

及園灣埽靠東首自十七埽至二十三埽並東
隄頭裹頭各埽前淘刷搜底較前水勢更刷深
一丈三四尺該處形成入袖全賴邁埽挑護為
通工第一險要臣督率河北道趙麟及該廳張
協鼎等分投趕緊追鑲加壓重土已臻穩實察
看東隄頭形勢兜灣上首埽靠相接之處形如
人字迎溜喫重尚形單薄於北面幫築寬厚足
資抵禦又曹考廳考城汛舊南隄為重門保障
自韓小坡以下至横隄止計長三千六百十六
丈隄頂僅寬二丈甚形單薄先經兵部尚書臣
吳璥飭廳趕估南面增培臣到任後催令迅速
興辦工甫竣而盛漲即至極為鞏固得力而南
面韓小坡至牛寨一帶本有順隄大溝形積水
深至四五尺汕刷隄坦擇其最緊要處趕鑲防
風埽長三百九十丈一律穩固又南岸中河廳
中牟下汛五堡舊二壩埽工三段睢寧廳睢州
下汛十四堡舊有小土壩埽工三段於十五十
八等年先後淤閉兹因對岸挺生灘嘴逼溜南

趨先後刷塌經開歸道唐仁埴督率廳營補鑲
穩實又商虞廳虞城上汛十六七八堡順隄埽
工於閏兩年七月中旬河水驟長對岸坐灣河
勢南趴致將順隄九埽至二十二埽先後刷塌
分投補還新埽均已穩實又山東省糧河廳單
上汛三堡迤東對岸坐灣河溜直趨魚鱗三四
壩前致將三壩四五埽四壩三四埽先後刷塌
並塌及迤下無工處隄坦勢甚喫重臣接據兖
沂道斌良稟報因正在督辦祥河下北工程緊
要即委候補道葉觀潮帶同諳練廳員前往幫
辦茲據該道等稟報已於魚鱗三四壩搶補新
埽四段並於迤下塌隄處搶進新埽二段勢漸
穩定恐溜勢下移於新埽下首灘唇近河處幫
築南戗刨槽鑲埽接連戗工估築順壩一道以
資擎托適兵部尚書臣吳璥前赴南岸下游勘
工即馳往該工督同搶辦一律平穩臣查伏秋
大汛疊經盛漲或對岸生灘舊工刷出或無工
處所驟生新險如南岸上南河廳之核桃園下

南河廳之黑堽蘭儀廳之蔡家樓北岸祥河廳
之祥符汛十四五堡俱因處暑前後搶鑲埽
存料不敷臣與吳璥酌籌添備並札商撫臣方
受疇檄委鄭州祥符蘭陽封邱等各州縣赴工
幫辦催集大料並此外各廳尚有工多料少之
處亦俱量為添購仍飭該管道隨時勻稽用則
可以濟急不用則作為來年歲料總期處處籌
備充足不任稍有虛糜臣祇遵
聖訓刻刻以勤慎自矢不敢稍涉大意茲於初六日
節交白露各工僅存長水二尺七八寸至四尺
一二寸埽壩工程悉臻平穩洵足仰慰
聖懷惟現距霜降四十餘日秋汛尚長臣務當會同
兵部尚書臣吳璥董率道府廳營加意修防往
來策應以冀通工普慶安瀾仰副
皇上慎重工程奠安民生之至意現在祥河下北工
程已固臣即赴南北兩岸查驗已辦土埽工程
並親勘擇要應估土工及酌備明年歲料另摺
奏報外所有白露安瀾各工鑲護平穩緣由理合

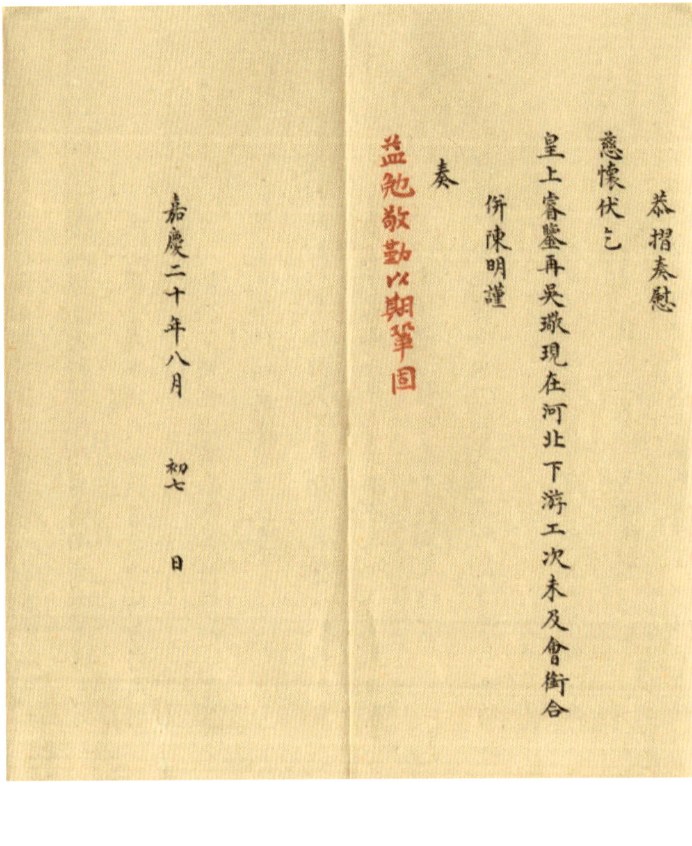

恭摺奏慰

慈懷伏乞

皇上睿鑒再吳璥現在河北下游工次未及會銜合

併陳明謹

奏

益勉敬勤以期鞏固

嘉慶二十年八月　初七　日

七四五

奏

兵部尚書臣吳璥
河東河道總督臣李逢亨跪

奏為恭謝
天恩事竊照本月十六日臣等於工次承准軍機大
臣字寄嘉慶二十年八月初七日奉
上諭吳璥等奏黃河水勢異漲各廳工程險要搶護
平穩情形一摺本年七月黃河水勢陡長丈餘各
隄岸平水漫水處甚多吳璥與李逢亨督率工員
竭力搶護攔埽各工均臻穩固現在河水日落僅
存長水五尺二寸此皆仰賴
天恩
神佑覽奏實深欽感李逢亨身任總河河務是其專
責吳璥病體甫痊親赴豫省協同防守甚為可嘉

朕駐蹕避暑山莊御鎗獲鹿著賞給吳璥李逢亨
鹿肉一盤由驛發往以示錫予福祿之意此後秋
汛方長吳璥等仍督飭在工文武廳汛各員弁嚴
密防護倍加勤慎以期工程一律穩固俟奏報秋
汛安瀾後再行施恩將此諭令知之欽此並奉到
恩賞鹿肉一盤臣等跪誦祗領望
闕叩頭謝
恩訖伏念臣吳璥仰荷
聖主委任至重
體恤至深雖頂踵捐糜不足稍申寸報臣李逢亨忝
沐
殊恩不次超擢大汛巡防本屬分內之專責臣等捫
心自問方以涓埃未效時切慚惶迺蒙我
皇上溫諭優加
賞賚逾格
肅三驅於
御苑珍味遙頒
錫五福於箕疇

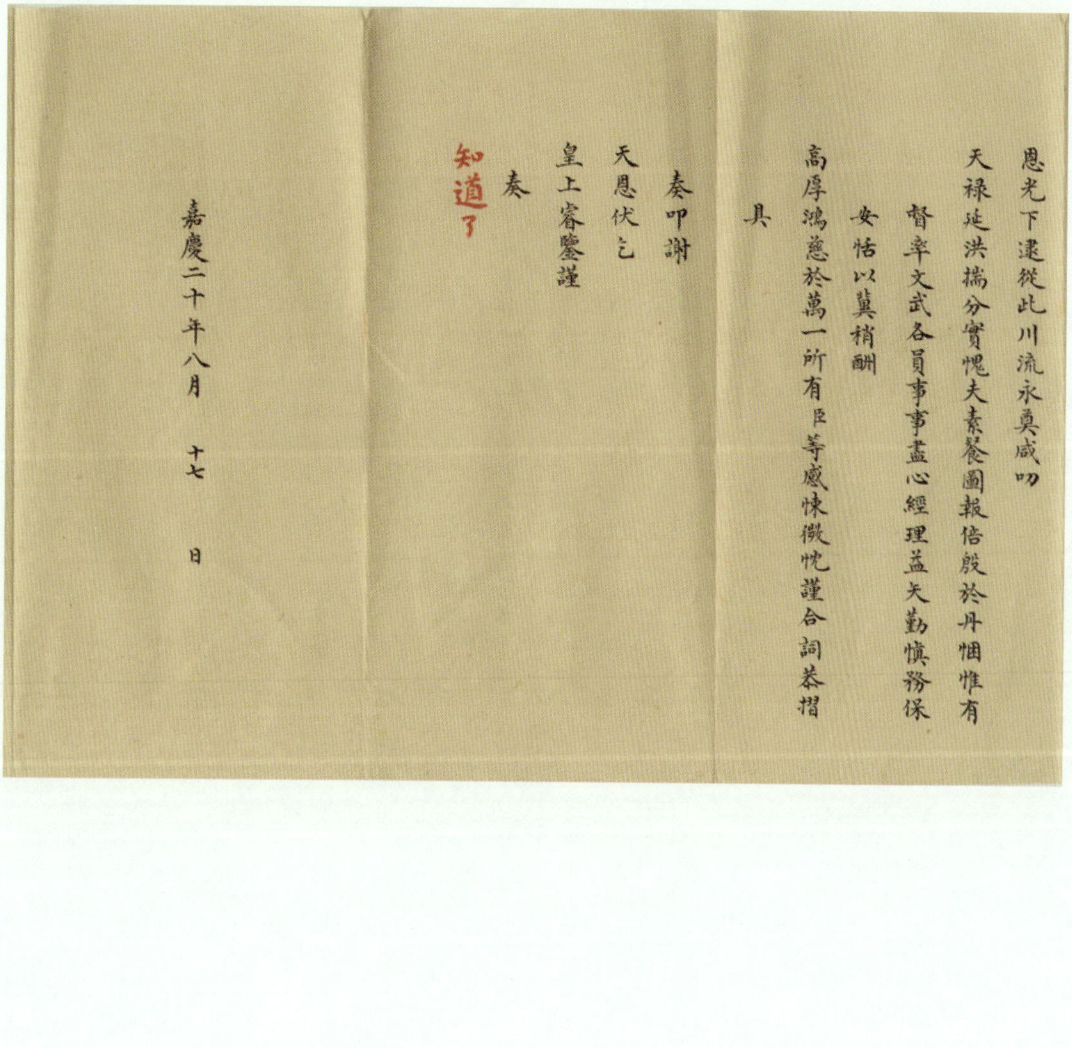

恩光下逮從此川流永奠感叨
天祿延洪揣分實愧夫素餐圖報倍殷於丹悃惟有
督率文武各員事事盡心經理益矢勤慎務保
安恬以冀稍酬
高厚鴻慈於萬一所有臣等感悚微忱謹合詞恭摺
具
奏叩謝
天恩伏乞
皇上睿鑒謹
奏
知道了
嘉慶二十年八月　十七　日

再臣李逢亨現由北岸下游渡河至南岸逥查
各廳工料俟勘明一切應辦事宜另行繕摺具
奏臣吳璥即在北岸一帶上下策應彼此聲息相
通以期防範周安本月初七十一等日萬錦灘
黄河先後共長水五尺八寸沁河亦於初十日
陡長水二尺九寸兩水滙入黄河旋據各廳稟
報大河長水七八尺九尺五六寸至一丈二尺
比較往年盛漲已大至一二尺實為白露後所
罕有幸各工先已添購料物處處有備凡迎溜
埽壩工程隨時鑲護穩固現距霜降尚有三十
餘日臣等督率文武員弁加意防守可期一律
平穩仰慰
聖懷合併附片奏
聞謹
奏
欣慰覽之

七四六

奏

江南河道總督臣黎世序跪

奏為白露後黃水復漲各處工程搶辦平穩恭摺

奏

聞仰祈

聖鑒事竊照江境黃河七月中旬水勢盛漲旋即消
落各工修防平穩前經恭摺

奏報在案自七月下旬水勢漸消至八月初六日
節交白露外河順黃壩誌樁消存水二丈七尺
七寸比伏汛盛漲後消存之水更小數寸臣諄
飭各道將廳營等以秋汛期長不可不謹防續
漲於各工緊要之處多集料物以備廂修旋據
陝州呈報萬錦灘於八月初七日陡長水二尺

八寸十一日又陡長水三尺共長水五尺八寸武陟縣呈報沁河於八月初十日陡長水二尺九寸同時滙流下注江境於八月初九日起至十八日各廳次第報長水五尺餘寸至七尺餘寸不等此次長水雖不甚驟而陸續接長頗為纏綿各工誌樁長存水勢與七月中旬盛漲相等兩岸埽工淘刷日久多有見蟄各該廳營隨時跟廂悉臻穩固豐北廳陳家壩下溜勢直趨第三壩至第四壩空檔之處宿北廳夏家馬路工溜勢下移刷及堤根均搶廂新埽海阜廳屬東窪地方河溜南趨塌灘二百餘丈該處係十七年接築新堤離海口僅二十餘里本係新淤之地一經淘刷頓深四五丈先經淮海道張文浩遴擊盧順督率廳營於堤外間段趕築土壩用料盤頭挑護而隨廂隨蟄頗為費手臣接據稟報馳赴該工督令趕集料物搶廂大埽以資抵禦並查該處河勢向南坐灣而堤勢向北正當迎溜廂做埽工倍常喫重須於後面添重堤

一道以資保障海灘平衍之地無難趕築而於
全河尾閭東水歸海之道益可放心據該道估
稟前來臣現已飭令趕辦桃北廳楊工迤上春
汛内溜勢上提塌灘間段築做土壩十道用料
盤頭挑護此次長水全河大溜北趴各挑壩刷
深游盤跟廂不已河營參將劉重先赴該工臣
於海阜得信即星馳到工督率晝夜搶廂淮海
道張文浩隨亦自海口趕到於各壩空檔趕做
護埽得以平穩兹八月十九日起至二十二日
各工水勢已見消二尺餘寸堤埽工程一律平
寧洪湖水勢自八月以來又消九寸高堰誌樁
現存水一丈四尺九寸智信兩壩業已全行堵
閉現飭道廳將仁義兩引河接手次第趕堵並
將東清槩黄兩壩相機收窄以資收蓄揚河揚
糧一帶自智信兩壩堵閉之後水勢漸消車邏
南關兩壩現亦飭令趕堵俾下河低窪有水之
地早為涸出可以佈種春麥邳宿運河各閘越
壩及駱馬湖尾閭之天然北壩甯家河並分洩

各水口前於汛水盛漲時次第啟放亦飭令分別趕堵以蓄湖潴而利空運中河廳新建盤閘於頁閘重運過後即啟放以利鹽運及左營蕩柴其閘外鉗口壩及鹽河兩岸迎溜處廂做護埽工程均一律穩固現在離霜降尚有一月漲水尚未大消後水復恐踵至臣惟有督率通工大小文武各員倍加謹慎竭力修防以期三汛

瀾安仰副我

皇上永慶平成之至意所有白露後黃水盛漲各工搶辦平穩情形理合恭摺由驛

奏慰

聖懷伏乞

皇上睿鑒謹

奏

倍加敬慎永慶安瀾勉之

再本年河湖水勢益形盛漲各工修守用項較
多前次
奏撥大汛工需銀兩業已將次用完距霜降之期
尚有一月不可不寬為儲備惟所需之數無多
不敢再行
奏請撥發惟查江寧藩庫每年有額解河工銀十
八萬餘兩向來每遇工需緊要均於年前預提
應用現值汛防緊要之際就近提用可應急需
臣札商督臣百齡意見相同即飭江寧藩司陳
桂生查照趕為解工應用相應附片奏
聞謹
奏

覽

七四七

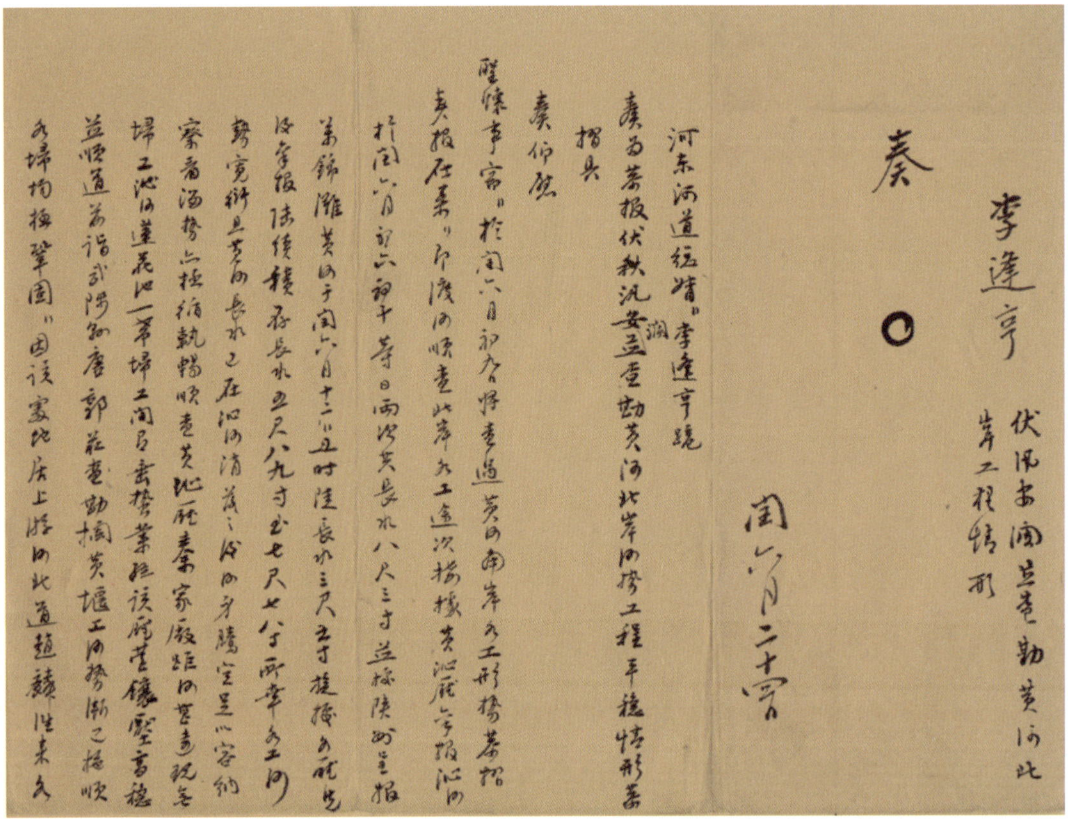
李逢亨　伏汛安瀾並查勘黄河北岸工程情形
奏
○
閏六月二十日

河東河道總督臣李逢亨跪
奏為恭報伏秋汛安瀾並查勘黄河北岸河勢工程平穩情形恭摺具
奏仰祈
聖鑒事：竊臣於閏六月初九日將查過黄河南岸各工形勢恭摺
奏報在案。即渡河順查北岸各工，逐次接據黄沁廳牌報沁河於閏六月初六、初十等日兩次共長水八尺三寸，並據陝州呈報萬錦灘黄河于閏六月十二日丑時陡長水三尺五寸，旋據各廳先後牌報陸續積存長水五尺八九寸至七尺七分不等。各工河勢寬衍，且黄河長水已在沁河消落之後，河身騰空足以容納，察看河勢亦極循軌暢順。查黄沁廳秦家廠迤西舊有現存埽工，沁河蓮花池一帶埽工，閏月間雖蟄，業經該廳普律鑲壓高穩。並順道前詣武陟縣唐郭莊查勘攔黄堰工，河勢漸已接順，各埽均極鞏固。因該處地居上游，河北道趙毓駐紮久

工來被專駐營防县以会商陞任揣。方受畛專委候補知府王
世臣適到，莫樹菁實因所知相機修守，並于黃沁廳抽撥熟諳
椿埽兵夫，伊應力作，現在陸續多備防料，操弁兵役
分頭駐防，極為嚴密，實可放心。即前赴衛糧廳屬封邱汛
衛工大堤，原長六百餘丈，雖尚任河以後塌進，與河心[illegible]挑峙
奏明任其刷塌，以順河勢。屢年陸續塌去五百餘丈，尚存東首堤長
一百餘丈，鑲埽修守。奴才因查工時，因對岸生灘，河溜由上首西圈
堰迤東，從前塌去堤身處所刷灘裡卧圈，注東首堤身後面
折向南趨，頗形兇湧，並蓋堤灘翅，順水東土壩尾入百四埽現
在積形為險要之工，即諭令該道廳佐貳堵嶮，不必鑲修，大
可節省靡費。茲奎吹長水三次，各工陸續刷塌，察看河勢直向
東趨，氣機極為舒展，竭收其上首西圈堰一帶，仍令小心修守，以資
保護。又查嶮諳祥河廳屬祥符汛十二堡工，若非搶護，連年河勢
下坐，漸至十五堡一帶，工段愈長，修防節節吃重。十五堡魚鱗
堤下首原定搶三十四丈，因係向來埽工，今長水之後，大溜趨
注，匯塌陸根，經該道趙瑋督率廳營搶鑲五段，埽四段，並
於迤下挑堤四有四埽之下接鑲新埽一段，又人字堤一道，現在
著河塌及堤頭鑲埽四段，頗資挑溜回力。察看河勢，仍
見下坐十六堡，石灘亦漸塌進，已諭飭該道廳相度情
形，[illegible]築築堤挑壩廿七堡迤西，回勢開行，不至總圍其下。此
廳蘭陽汛十一堡迤東河勢稍為向東，形下坐十二堡至十五堡

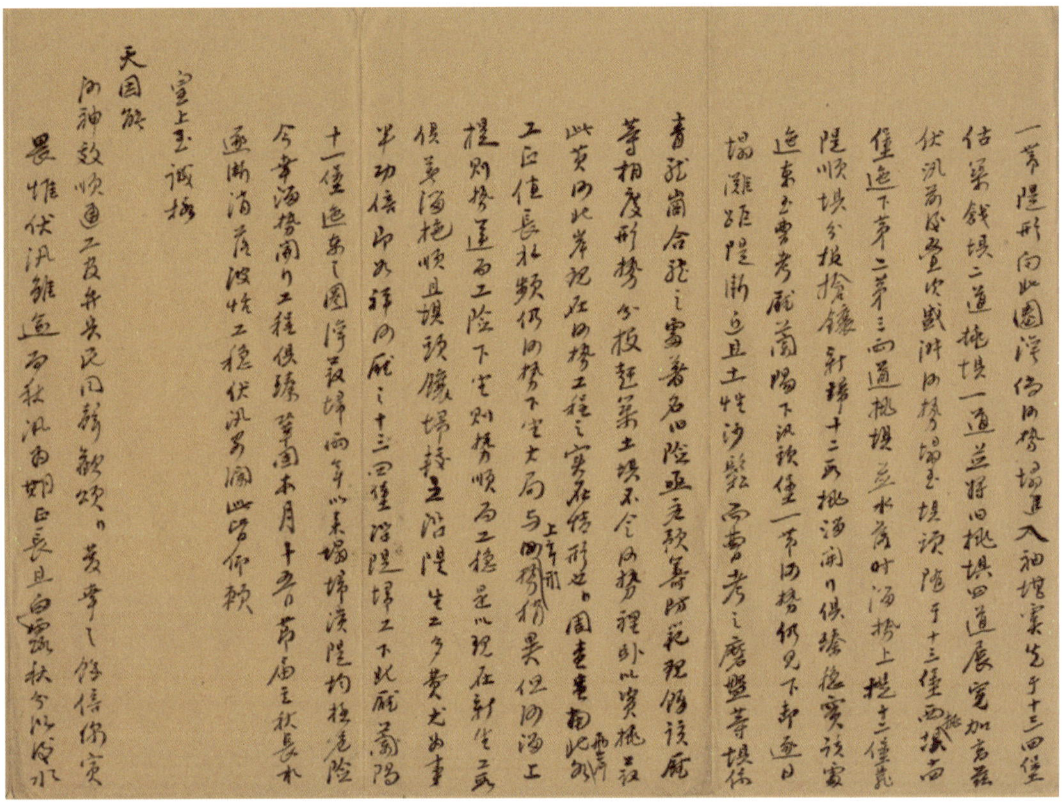

一帶堤形向北圈灣伏河勢塌進入袖堤案先于十三四堡
估築錢坝二道挑坝一道並將舊挑坝四道展寬加高培
伏汛前後叠次戗埽河勢塌至坝頭隨于十三堡西添南
堡迤下第二第三兩道挑坝並水落時溜勢上提十二堡兑
堤順埽分段搶鑲新埽十二段挑溜開刷俟塘穩實該處
迤東至曹考廳蘭陽下汛頭堡一帶河勢仍見下卸逐日
塌灘距堤漸近且土性沙鬆而曹考之磨盤等坝係
青龍岡合龍之處著名四險亟應預籌防範現飭該廳
等相度形勢分段趕築土坝不令河勢趨北以資挑護
此黃河北岸現在河勢工程之實在情形也因查南北兩
工臣等長林頻仍河勢下坐大局與上年南河勢俱異但河溜上
提則勢逼而工險下坐則勢順而工穩是以現在新生工段
俱是溜挖順且坝頭鑲埽移至陷堤生工多費尤為事
半功倍即如祥河廳之十三四堡灣堤埽工下北廳蘭陽
十一堡迤東之圈灣歲埽兩年以來塌埽潰堤均極危險
今年溜勢開刷工程俱臻穩固本月十五日節屆立秋長水
逐漸消落波恬工穩伏汛安瀾此皆仰賴
皇上至誠格
天固佑
河神效順通工及弁兵民人同聲歡頌 茲幸之餘倍深寅
畏惟伏汛雖過而秋汛甫始且長且落秋分以後水

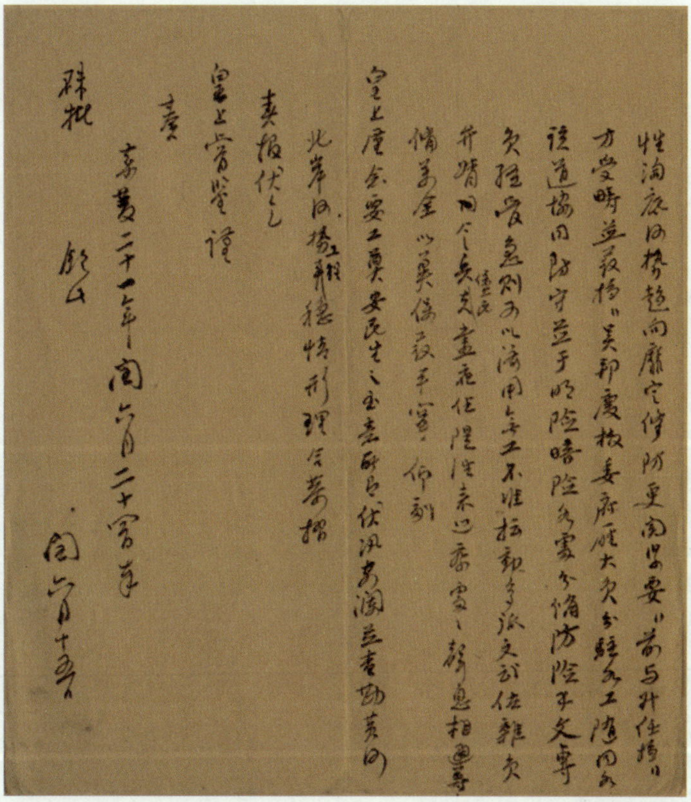
[illegible]
[illegible]
[illegible]
[illegible]
[illegible]保護平穩[illegible]仰副
皇上廑念要工、奠安民生之至意。所有伏汛安瀾並查勘黃河
北岸[illegible]工程穩帖情形理合恭摺
具報伏乞
皇上睿鑒謹
奏
嘉慶二十一年閏六月二十[illegible]
朱批 [illegible]
閏六月十[illegible]

七四八

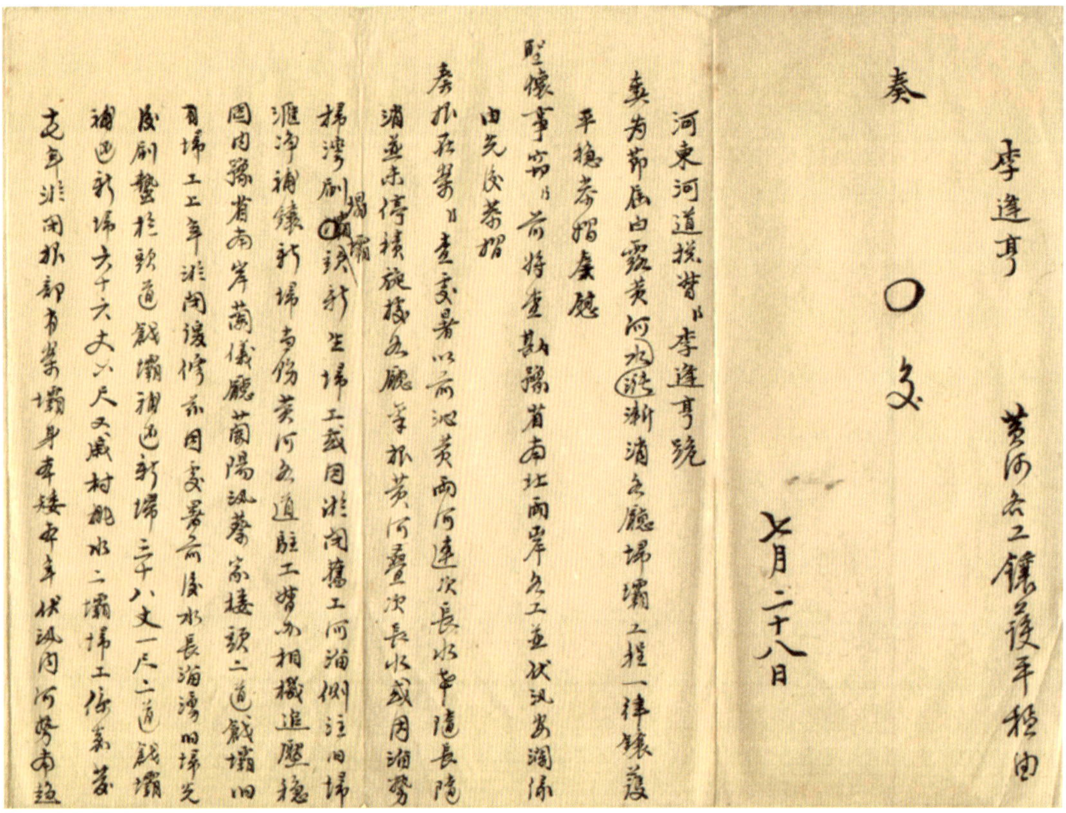

李逢亨

奏

黄河各工鑲做平穩由

〇文

七月二十八日

河東河道總督臣李逢亨跪

奏爲節届白露，黄河水勢漸消，各廳埽壩工程一律鑲護

平穩，恭摺奏慰

聖懷事。竊臣前將查勘豫省南北兩岸各工並伏汛安瀾緣

由先後恭摺

奏報在案。茲查交暑以來，沁黄兩河迭次長水，節經隨長隨

消，並未停積。旋據各廳等報：黄河疊次長水，或因溜勢

埽灣刷塌新生埽工，或因淤閉舊工河溜側注，舊埽

[illegible]補鑲新埽，[illegible]黄河各道臨工亦相機追壓穩

固。内豫省南岸蘭儀廳蘭陽汛蔡家樓頭二道戧壩，舊

有埽工，上年淤閉後，今因交暑前後水長，溜灣舊埽先

後刷蟄，於頭道戧壩補追新埽二十八丈一尺，二道戧壩

補追新埽六十六丈六尺。又[illegible]村[illegible]水二壩埽工，係嘉

慶[illegible]年淤閉，[illegible]壩身本矮，本年伏汛因河勢南趋

先將該壩加培寬厚，將卸塌之壩根搶補新埽六段，俾資
抵禦。係睢廳雅以上汛南堤上年河勢坐灣，當經估築挑
水壩二道，
奏明在案。本年桃汛因河勢下卸，復於第二道挑壩下首
估築挑水三四壩各一道，並將迤上兩壩量為接長。又該壩
空檔殘長，添築魚鱗壩四道，並於子堰南面加高，以資倚
靠。因壹經長水之後，大溜逼注壩前，致將挑水二三兩壩欵
先後追塌，相繼於二壩鑲埽三段，三壩鑲埽四段，其欵壩四
壩為尤甚，所有鑲埽正當搶辦追壓之時，迤上四堡河勢
坐灣，塌灘甚速，當先於險向估築魚鱗壩、挑水壩各一道，
溜勢趨至壩根，緊於魚鱗壩鑲埽八段，挑水壩鑲埽三段，
並因該處堤身單薄，河勢當先下卸，於欵壩以下接築土
壩二道，並於子堰南面擇要加高幫築，庶錢以資保衛。雖
穿廳雅以下汛四堡挑水二壩迤下五堡西挑壩相離空
檔太遠，該處堤身單薄，恐溜往裡趨成入袖，先經添
築挑水三壩一道，貼及上踐溜已塌至，鑲新埽三段。又挑水之
壩上首上年霜後新築挑水欵壩一道，刷因溜勢上提，壩
前存灘刷塌追及壩身，並即趕鑲新埽三段，俱極穩實。又
北岸下北廳蕭陽汛十五堡迤下十九年建築挑壩一道，本年
春間因河勢北趨，加倍高厚，以備鑲護。扶汛以來河勢日漸
下移，壩外存灘塌卸追刷壩身，鑲埽四段追壓平穩。祥河

廳詳稱汛十五堡一帶河勢益往下坐人字壩下首上年所
築挑壩本未鑲埽今因大溜趨注形勢甚緊搶鑲新埽六段
迤下十六堡先進挑壩二道因第一道挑壩着溜鑲埽三段挑護
甚為得力曾前廳前赴汛緣小坡河勢北趨早經築壩頭
防禦第四道挑壩着溜壩根推鑲新埽五段俱臻穩固其
餘各廳卑矮之蟄埽段量為加鑲足資抵禦查本年立
秋後長水次數較勤截至本月十二三日黃河各廳業據
陸續長水八尺七八寸九尺二三寸為本年盛漲之水各廳漫灘
水皆派弁兵巡防遇有串水到隄之溝即趕壓堵築壩
堵截本月十四五日已消落三尺餘寸至六尺此次長水大雨且
暨南岸各廳嚴飭開埽道府仁垣北岸各廳嚴飭河北
道道鎮督率廳營汛弁遇有蟄埽均已隨時搶鑲穩固十
九日節屆白露仰賴
聖主威福感召
河神保佑各工水平工穩普慶安瀾以欽感之餘倍深寅畏竊
惟本年各廳雖俱有搶辦工程仰蒙
恩准徐備料場得以棄寬貯土料應手均能從容辦理既不
致于周章並未俟時貴價購料洵屬先事預防所有實多
又豫東兩省河身南北寬衍十數里河性多曲且無非查工
時審察形勢何處坐灣何處挺溜即飭廳先期築壩溜
到之處鑲埽數段即可挑溜開行不使沿隄生險多費實

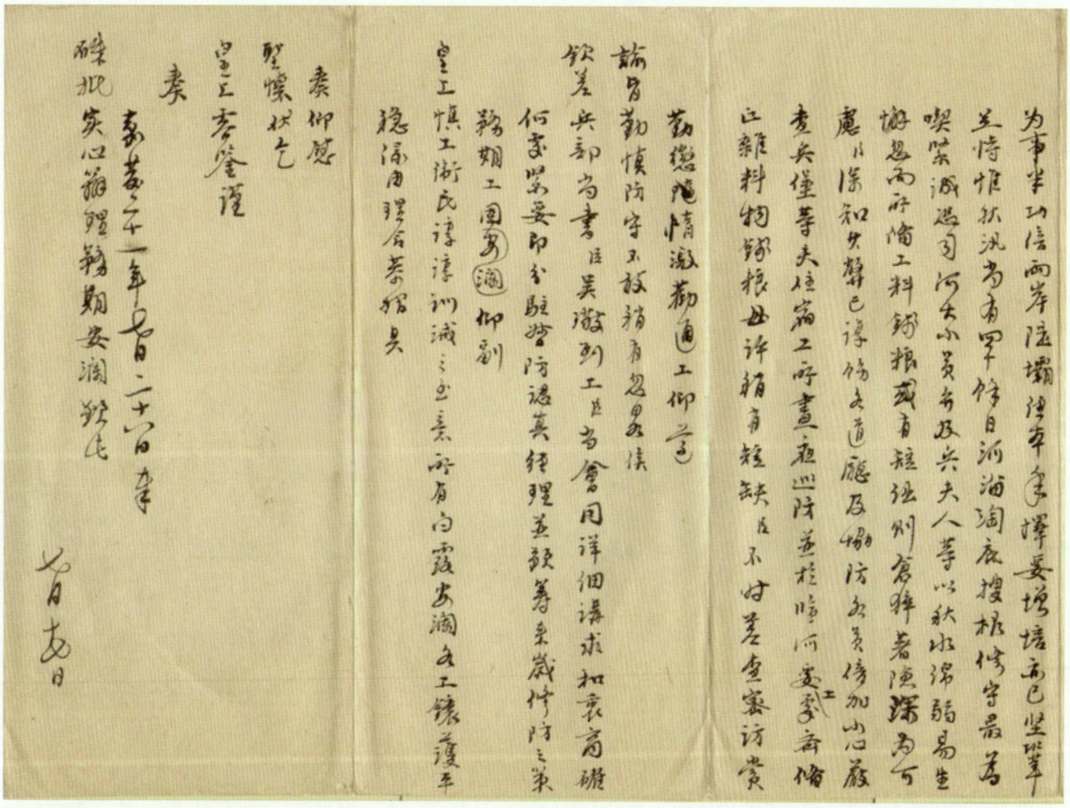
為事半功倍兩岸隄壩俱本年擇要培高已堅[illegible]
並慮惟伏汛尚有罕餘日河湖淘底搜根修守最為
喫緊誠恐司河文武員弁及兵夫人等以秋水漲驕易生
懈怠而所備工料錢糧或有短絀則貽誤者陳蹶為可
慮臣深知此弊已諄飭文武廳員及協防各員倍加小心嚴
查兵堡等夫俾各工晝夜巡防並於臨河要工處齊備
工雜料物錢糧毋許稍有短缺及不時差查察訪賞
勤懲隨時情激勸[illegible]工仰[illegible]
諭旨勤慎防守不敢稍有忽畧矣
欽差兵部尚書臣吳璥到工臣當會同詳細講求和衷商確
何處緊要即分駐督防認真經理並設籌來歲修防之策
務期工固安瀾仰副
皇上慎工衛民諄諄訓誡之至意所有河霞安瀾各工穩護平
穩緣由理合恭摺具
奏仰慰
聖懷伏乞
皇上睿鑒謹
奏
嘉慶二十一年五月二十四日奉
硃批實心籌辦務期安瀾欽此
[illegible]日

七四九

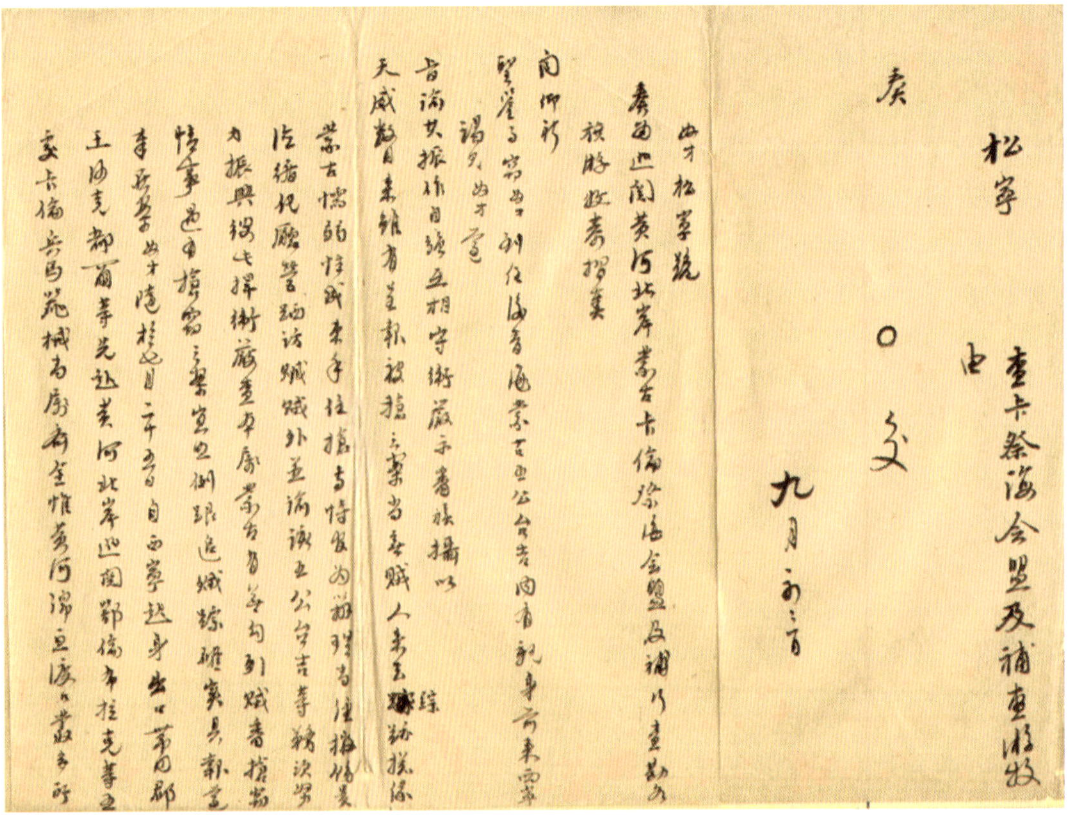

松寿
奏 ○ 查卡察海会盟及补查游牧
由
九月初二日

奴才松寿跪
奏为巡阅黄河北岸蒙古卡伦、察海会盟及补行查勘各
旗游牧恭折具奏
仰祈
圣鉴事。窃奴才到任后，查海蒙古五公台吉内有犯事前来西宁
谒见，奴才宣
旨谕其振作自强，互相守卫，严防番族抢劫，以
天威勦办。未能有差轨被抢之案，当查贼人来去踪迹，探系
蒙古懦弱性成，未能往捕，专恃贫为劫掠者，惟抢掠蒙
[illegible]编抵御，应请访贼，贼外并谕该五公台吉等，嗣后务
力振兴，设卡探卫，严查本管蒙古，有藏匿贼番者指出
情事，再由搜获之案，定必倒跟追贼踪，难实具报。至
本年奴才随于八月二十五日自西宁起身，出口第四部
王汉克都甫等先赴黄河北岸巡阅，并卡伦克等兵
安卡伦兵马器械尚属齐全，惟黄河沿边丛丛多所

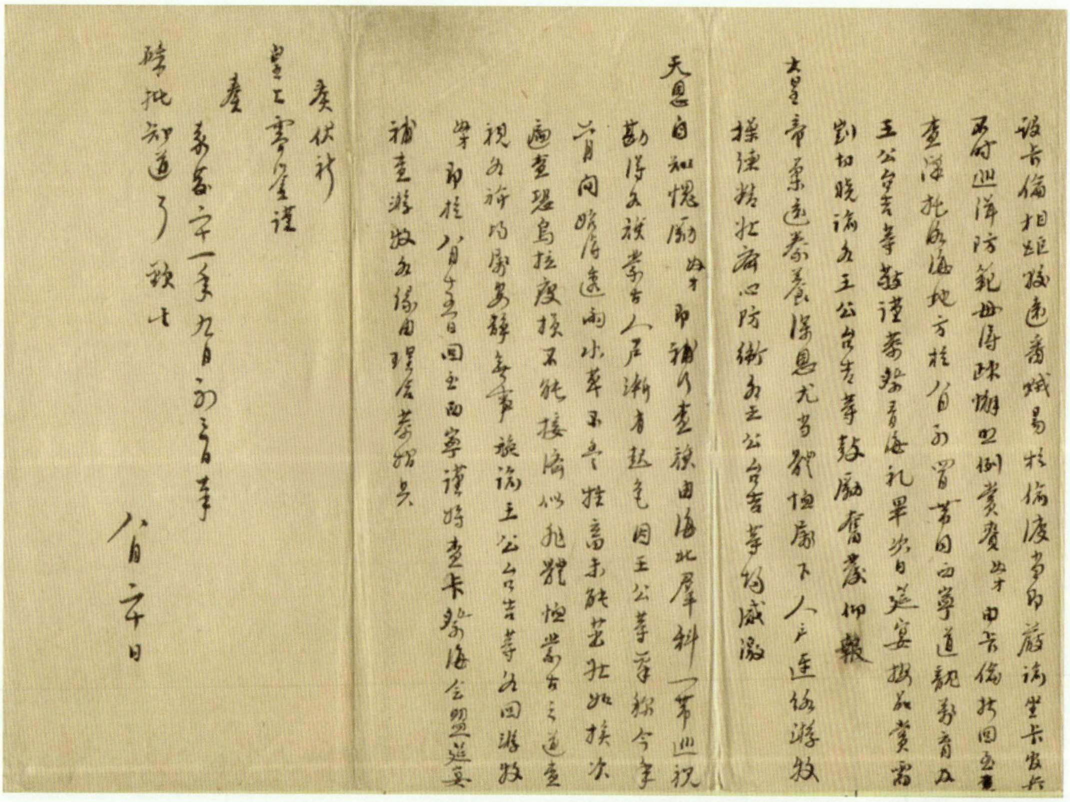

設卡倫相距較遠番賊易於偷渡當即嚴諭堂卡官兵
加緊巡洋防範毋得疏懈照例賞賚奴才由卡倫折回丹
查洋抵該海地方於八月初四日西寧道親赴青海及
王公台吉等敬謹恭祭青海禮畢次日筵宴擬給賞賚
剴切曉諭各王公台吉等鼓勵奮發仰報
大皇帝柔遠恭養深恩尤當戢檢屬下人戶遠徙遊牧
操練精壯務心防衛各王公台吉等均感激
天恩自知愧勵奴才即補行查核由海北犀科一帶巡視
勸得各族蒙古人戶漸有起色因王公等革稱今年
六月間時值連雨水草不甚旺盛未能茁壯始挨次
過查瑪烏拉度挨不能接濟似此蒙古之道查
視各旂均屬安靜無事旋諭王公台吉等各回遊牧
奴才即於八月十五日回至西寧謹將查卡祭海會盟筵宴
補查遊牧各緣由理合恭摺具
奏伏祈
皇上聖鑒謹
奏
咸豐十一年九月初三日
硃批知道了欽此
八月十日

七五〇

黎世序　酌定河工碎石方價由

奏　○　交　年一月

八月廿八日

江南河道總督臣黎世序跪

奏為黃河工程採用碎石酌定方價以便循照勞辦造報

核銷恭摺具

奏仰祈

聖鑒事竊照江境黃河工程向來除徐州護城石工外歷用碎

石拋護並於埽外拋砌碎石工程甚為得力近年以來各

廳臨黃迎溜頂衝埽工之間有蟄鑲不已之處用碎石於埽外

拋護尤不擔溜闖乃工程即見平穩查前任河臣先於銅沛睢

南邳北等廳辦理試試有成效經議以來隨時察看講求

拋護碎石工程實可化險為平雖辦理之時於埽工之外所

費不免多費而辦成之後每段碎石即可蓋護下首數

段碎石埽工而且永遠存留即經年隔歲間有蟄矮之事

量為加拋較之埽工經二三年後業經朽腐即見蟄塌鑲

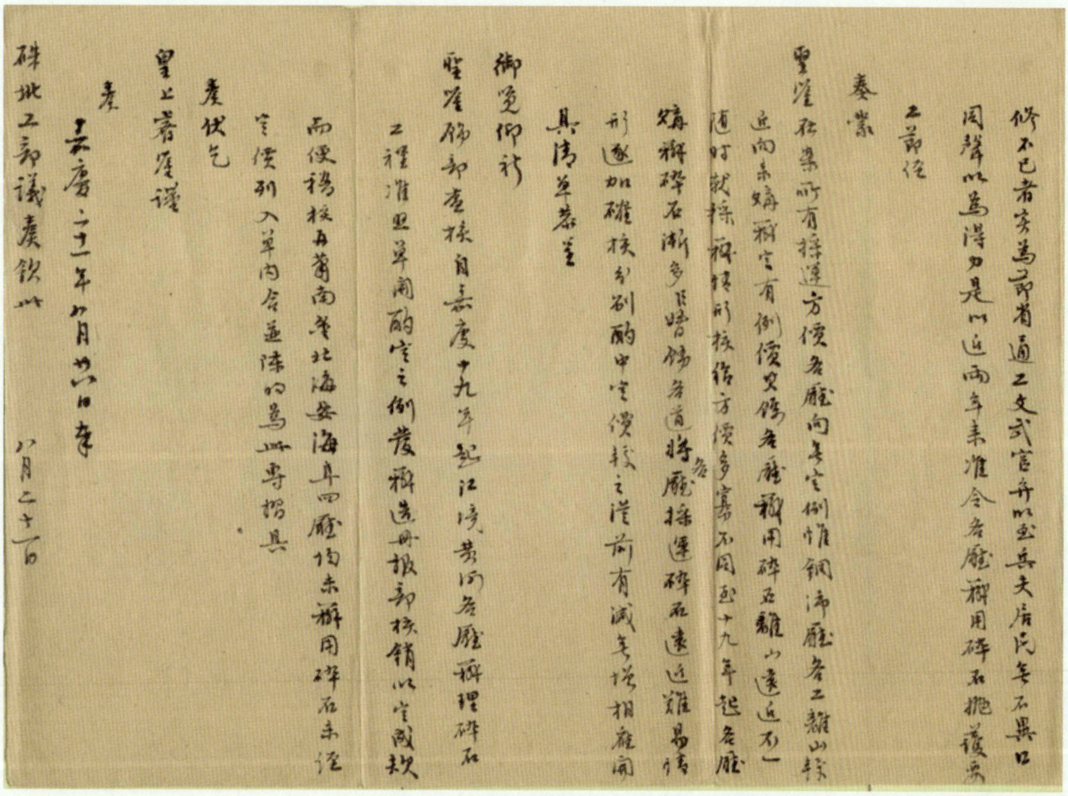

修不已者，實爲節省道工。文武官弁以至兵夫居民等不異口同聲，以爲得力。是以近兩年來准令各廳辦用碎石拋護要工，節經

奏蒙

聖鑒在案。所有採運方便各廳向來定例，惟銅沛廳屬工離山較近，向未購辦，定有例價。只緣各廳辦用碎石離山遠近不一，隨時就採辦時價核給，方便多寡不同。至十九年起，各廳購辦碎石漸多，且時飭各道將各廳採運碎石遠近難易情形逐加確核，分別酌中定價，較之從前有減無增。相應開具清單，恭呈

御覽，仰祈

聖鑒飭部查核。自嘉慶十九年起，江境黃河各廳辦理碎石工程，准照單開酌定之例價辦造冊報部核銷，以定成規而便稽核。再蕭南、徐北、海安、海阜四廳均未辦用碎石，未經定價列入單內，合並陳明。爲此專摺具

奏，伏乞

皇上睿鑒。謹

奏。

嘉慶二十一年八月廿六日奏

硃批：工部議奏。欽此。　八月二十日

七五一

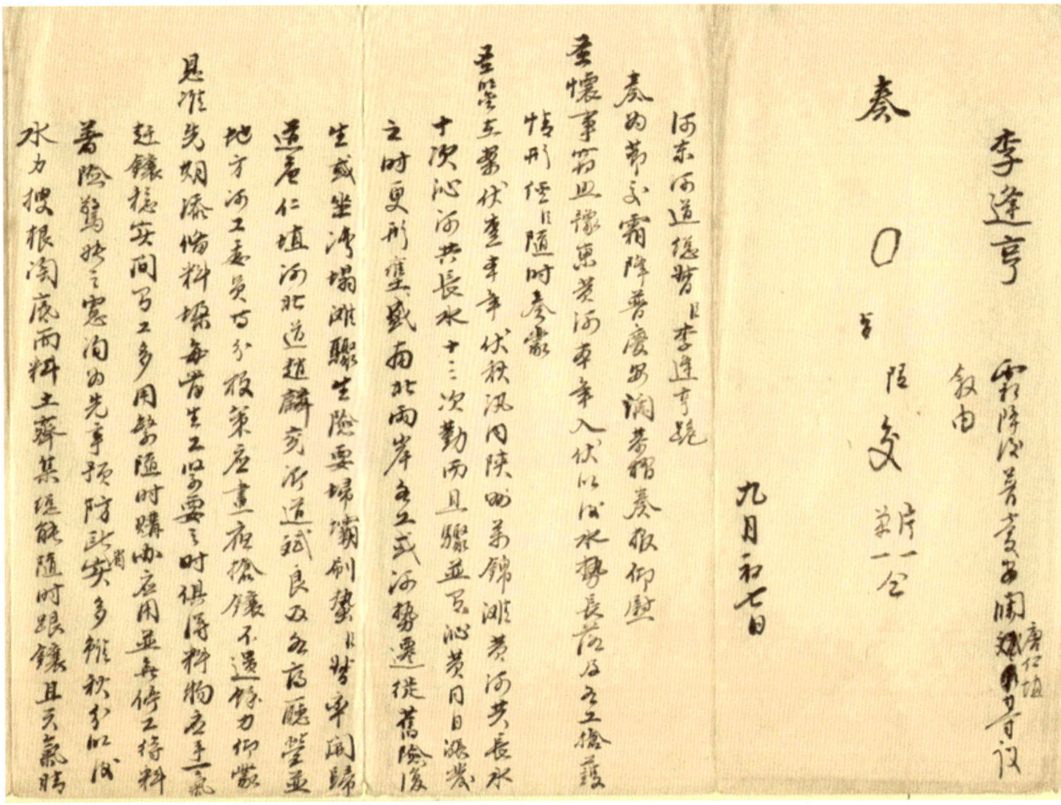
李逢亨
霜降後普慶安瀾（唐仁埴）叙由
奏〇日限文　片一　摺一
九月初七日

河東河道總督臣李逢亨跪
奏為節交霜降普慶安瀾恭摺奏報仰慰
聖懷事竊照豫東黃河本年入伏以後水勢長落及各工搶護
情形經臣隨時奏聞
聖鑒在案伏查本年伏秋汛內陝州萬錦灘黃河共長水
十次沁河共長水十三次勤而且驟並値沁黃同日漲發
之時更形壅盛南北兩岸各工或河勢遷徙舊險復
生或坐灣塌灘驟生險要埽壩刷蟄臣督率開歸
道唐仁埴河北道趙麟兗沂道武良及各廳營並
地方河工委員分投策應晝夜搶鑲不遺餘力仰蒙
恩准先期添備料垛每當生工吃要之時俱得料物應手
趕鑲穩妥間有工多用繁隨時購辦應用並無停工待料
著險叠出之處均以先事預防致臻（省）安多能秋分以後
水力搜根淘底而料土齊集俱能隨時跟鑲且天氣晴

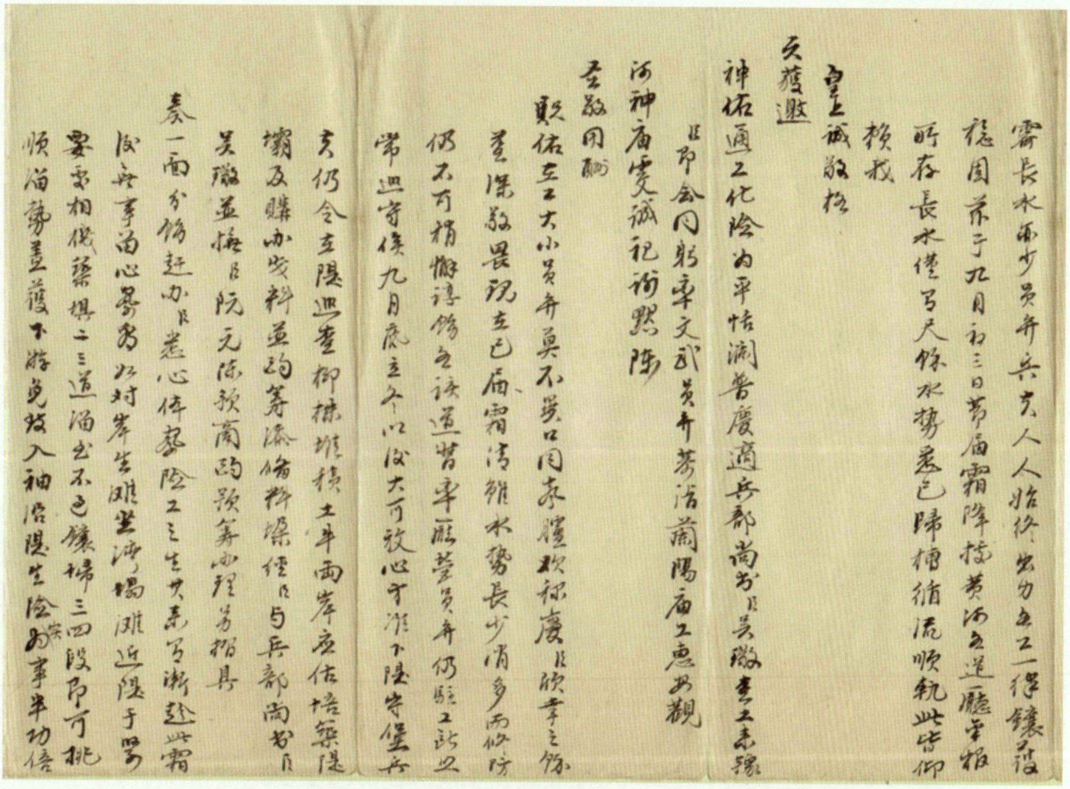

霽長水兩步員弁兵夫人人踴躍出力各工一律鑲做
穩固茲于九月初三日節屆霜降據黄河各道廳並報
所存長水僅丈尺餘水勢最已歸槽循流順軌此皆仰
賴我
皇上誠敬格
天獲邀
神佑通工化險為平恬瀾普慶適兵部尚書臣吳璥查工來豫
臣即會同將率文武員弁恭詣蘭陽廟工恭申觀
河神廟虔誠祀謝默陳
聖敬同酬
默佑在工大小員弁莫不異口同聲懽欣稱慶臣欣幸之餘
益深敬畏現在已屆霜清雖水勢長少消多而修防
仍不可稍懈諄飭各該道督率廳營員弁仍駐工所照
常巡守俟九月底立冬以後大可放心方准下堤守堡兵
夫仍令在堤巡查柳株堆積土牛兩岸應估培築隄
壩及購辦歲料並豫籌添備料垛經臣與兵部尚書臣
吳璥並撫臣阮元陳鼓商酌預籌辦理另摺具
奏一面分飭赶辦臣悉心体察險工之生大率多由於此霜
後兵事留心察勘如對岸生灘坐湾塌灘近堤于緊
要處相機築挑二三道酌出不已鑲埽三四段即可挑
順溜勢並護下游免致入袖沿堤生險実為事半功倍

且頼
皇上洪福現值海口通暢河床極好氣象豫東控制上游
爲全河關鍵更應防範南北隄岸來水攻沙俾上下河身
一律暢順毫無壅遏之處可期普慶平成商之臣吳璥亦
以爲然臣惟當督率道廳營汛同心合力期于安穩足
工堅事事實心籌備以冀永保安瀾臣即日會同臣吳璥
前赴東省查勘微山湖水勢籌畫疏消收蓄之法另容
奏報所有節交霜降普慶安瀾緣由臣謹會同河南撫臣
阮元山東撫臣陳預恭摺由驛馳
奏仰慰
聖懷伏乞
皇上睿鑒謹
奏
嘉慶二十一年九月初七日奏
硃批欣慰覽之另有恩旨欽此
九月初三日

七五二

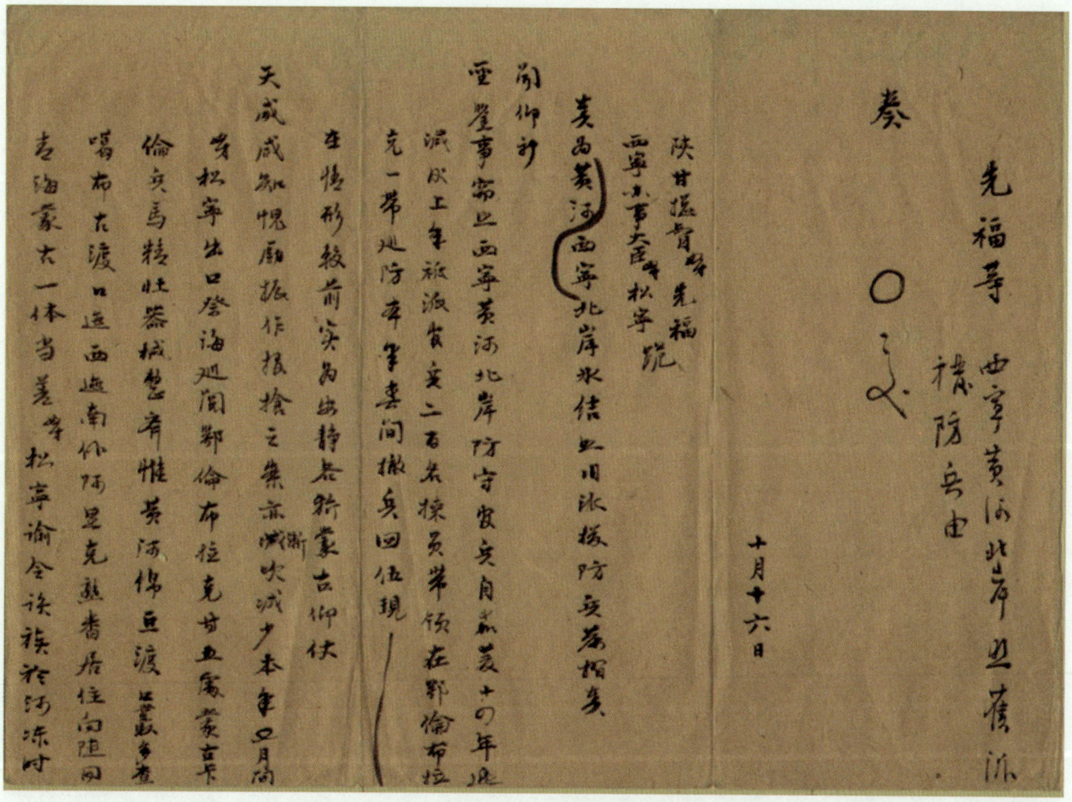
先福等　西寧黄河北岸照舊派
撥防兵由
奏　〇
十月十六日
陝甘總督臣先福
西寧辦事大臣臣松寧跪
奏爲黄河西寧北岸冰結照舊派撥防兵恭摺奏
聞仰祈
聖鑒事。竊照西寧黄河北岸防守官兵自嘉慶十四年經
臣等於上年裁減官兵二百名，揀員帶領在鄂倫布拉
克一帶巡防，本年冬間撤兵回伍，現
在情形較前實爲安静。臣等於蒙古仰仗
天威，咸知愧勵振作，搶捦之案亦漸減少。本年五月間
臣松寧出口會哨，巡閲鄂倫布拉克，甘肅蒙古卡
倫兵馬精壯，器械整齊。惟黄河偶至渡（之處最多查）
唱布太渡口迤西迤南仍係呈克盡番居住，向阻回
青海蒙古一體當差。臣松寧諭令該族於河冻时

派出兵一百名揀選為長二三名帶領設卡于黃河
北岸之多爾俊　吉郎庫甘家地方常川把守噶
布吉　信納爾以上各渡口貢噶布吉以至下巴木
爾衣吉次渡口均交青海王公台吉等照例派兵四百
名分駐鄂倫布拉克等五卡仍責成防河之查漢
諾們罕旂屬寨把守巴木爾吉次渡口迤東責成西寧
所屬郭密族照舊防守訖并批青海王公台吉等
呈懇數年以來仰蒙
大皇帝深恩派撥內地官兵防守誠我們蒙古得以
安靜游牧實在感激之至惟恐冬間河凍南岸生
番紛意搶刦懇祈奏請仍前項官兵照舊派撥俾
我蒙古寧謐等事實沾恩便等情奴才等察視近
來蒙古雖至鈍色然積弱既久畏葸性成恃為官兵
協力巡防方覺膽壯實出真情即札商會先福查核
該蒙古呈懇情詞既切其畏番已成積習亦屆凍河
在邇所有本年北岸防兵應請照上年派撥西寧鎮
屬兵二百名仍令西寧鎮揔兵嚴廉於遊擊都司
內揀派一員帶領前往設卡座協同蒙古兵嚴密巡防其費

兵鹽菜口糧照例支給俟明年再查情形蒙古吳
旗勢力自強即可全數裁撤請
旨辦理以節帑費所有本年冬間派撥防兵緣由理合
會同具
奏伏祈
皇上聖鑒謹
奏
嘉慶二十一年十月十六日奉
硃批知道了欽此
九月二十八日

七五三

李逢亨　[illegible]

奏　○　十月二十日

河東河道總督臣李逢亨跪

奏為豫東兩省秋汛黃河各廳工程平穩並將節省歲搶修

節將次完竣接辦添料以裕工儲恭摺具

奏仰祈

聖鑒事竊照本年立冬以後黃河水勢有消無長

從前迎溜險工或已河勢開行埽前淤淺或現雖

著溜而力已衰弱溜順東注埽壩各工俱屬平

穩惟查河廳黃沁五六堡水勢忽居溜急上

堤雖新鑲各埽俱已經過大水盤鑲坐蟄並

無蟄動而順水頭壩以上對岸挺生尖灘逼

束河勢大溜由東南直射西北勢頗湍激該處

舊有土壩一道卑矮單薄於本年閏六月內加高

埽厚並於下首估築新土埧一道原以備搶鑲埽
并護兗沂道試良重板業已塌及埧頭相機於
頭道土埧鑲埽二段二道土埧鑲埽四段並於右
堤迤東順隄鑲埽一段俱追壓穩實挑溜極為
得力河勢現亦暢順本月初四節交冬至天氣
冱寒河水澌冰々先飭豫東黃河道廳預備迎
凌椿杷將迎溜埽埧密為排釘攔護免致冰
凌割傷埽身並齊備打凌器具遇有冰塊壅積
隨時敲打推開俾順流而下不令逼埽現據各道廳
稟报豫東冰凌擁積埽埧工程均屬穩固大河
尚存長水俱已落盡河槽愈刷愈深循軌暢注
溜勢極好豫省南北兩岸各廳承辦丁丑
歲料俱有八九成以上並飭亦俱陸續到廠々
嚴飭各該道親往查驗並令將
奏准添備料垛接廠趕辦務于年內埽數全竣
統俟々明查驗收後方准動用以免藉工開銷一面
劄致河南撫々臣阮元就近嚴催稽核至東省
兗沂道屬曹河糧河二廳歲料現亦趕緊購

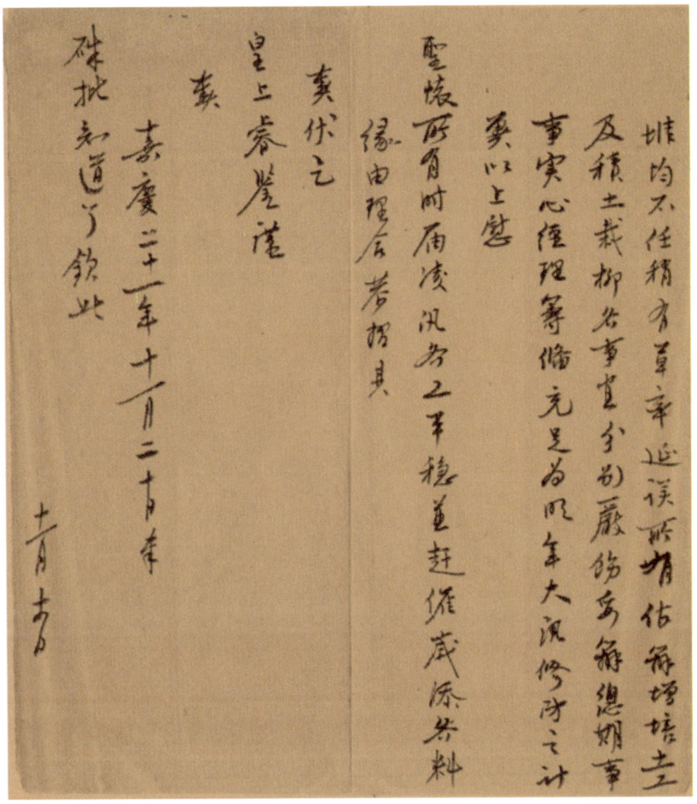
堆均不任稍有草率延誤所有估辦增培土
及積土栽柳各事宜分別嚴飭妥辦總期事
事實心經理籌備充足為明年大汛修防之計
藉以上慰
聖懷所有附陳凌汛各工平穩並趕催歲添各料
緣由理合恭摺具
奏伏乞
皇上睿鑒謹
奏
嘉慶二十一年十一月二十日奉
硃批知道了欽此
十一月十日

七五四

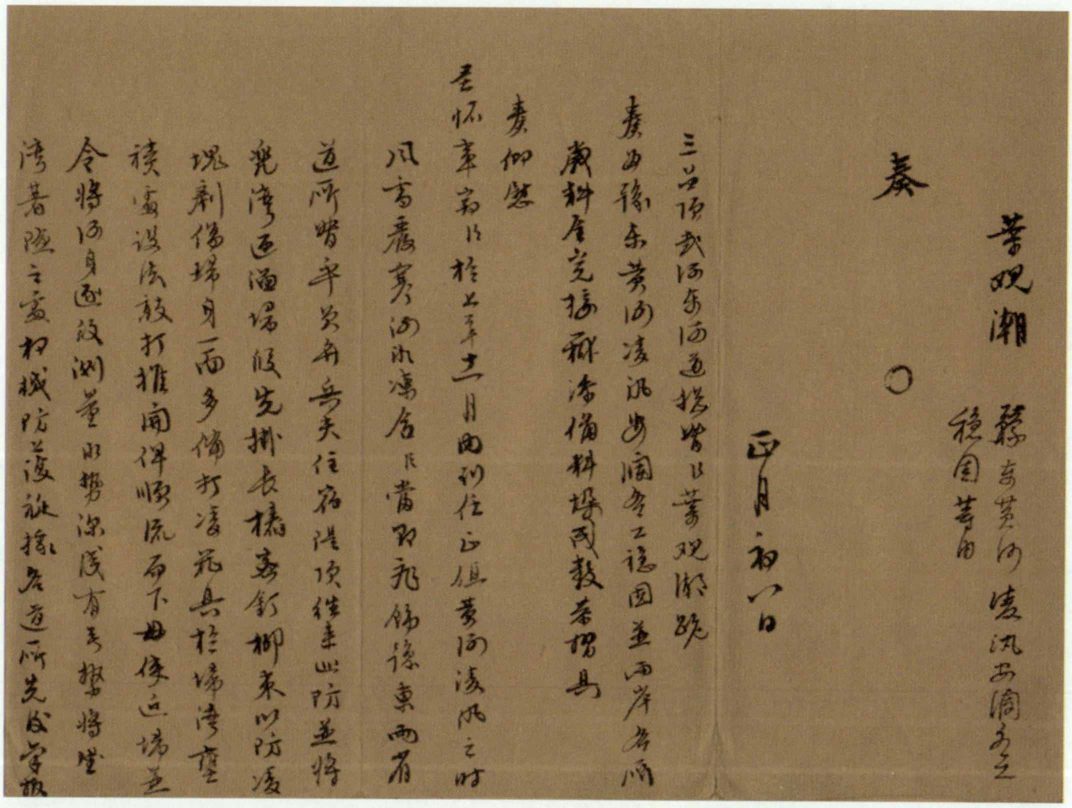

萧观潮 为奏黄河凌汛安澜工程稳固事由

奏

正月初八日

三品顶戴河东河道总督臣萧观潮跪

奏为豫东黄河凌汛安澜，各工稳固，并两岸各厅岁料全完，拣办添备料垛成数，恭摺具

奏，仰祈

圣怀事。窃臣于上年十二月两次往正值黄河凌汛之时，

风寒严厉，河冰凌合，臣当即飞饬豫东两省

道厅，督率兵夫住宿堤顶，往来巡防，并将

凭溜迎溜埽段，先挂长桡软柳束，以防凌

块刷伤埽身，一面多备打凌器具，于埽湾壅

积处设法敲打，推开，俾顺流而下，毋使近埽。并

令将河身通段测量水势深浅，有无塌壁

淤蓄险之处，切实防范。旋据各道厅先后禀报

各工黃河大溜暢順，間有首從凌塊者，已諭飭料物被凌迴查，河內雖見流凌，並無黑厚大塊積壅埽前，俱屬暢流東下，其節氣較早，十二月十九日已屆立春，漸次解凍，各工諒因普慶平穩，洵足上慰

宸廑。至兩岸各廳所歲料已於十一月底及十二月內陸續全數完竣，搶險堆添備料垛現有八九成不等，年月內每廳埽數全完，麻觔積土等項俱貯備充足。下游各處道將已完之雜各料就近驗收，仍嚴催添辦未竣料垛，下游山東運河撥工料理，至協即前往兩岸親自稱驗，如有以少報多、短不敷數及虛鬆架井等弊，立即據實嚴參，以示懲創，仰副

聖主慎重儲備、預籌防汛之至意。所有據查黃河凌汛安瀾，並兩岸各廳歲料全完、搶辦添備料垛成數，理合恭摺具

奏，伏乞

皇上睿鑒，謹

奏。

嘉慶二十二年正月初八日奉

硃批：欣慰覽之。欽此。

正月初六

七五五

孫玉庭等

重運首幫渡黄日期

正月二十七日

奏

○

臣孫玉庭 臣黎世序跪
臣李堯棟 臣孫汶

奏爲恭報重運首幫渡黄日期仰祈

聖鑒事竊照本年重運漕船於回空歸次之後即節

嚴催趕兑趕運以期迅速兹查鎮江幫渡江及淮

安頭大河前兩幫船隻過淮日期業經臣李堯

棟臣孫汶隨時恭摺具

奏在案臣孫玉庭臣黎世序會同臣李堯棟仍飭沿河

各員弁及派委標弁節節催攢前進現在淮揚

運河水勢一律深通本年節候較早天氣晴和並

無冰凌行走順利河口湖水仍高黄水三尺餘

寸暢出刷黄甚爲得力至邳宿運河本年因東

省微山湖瀦蓄充盈江境所有淤刷深通現在微湖

各水口俱已次第堵閉江境底水澄清尚有直淺各
段仍仿照上年多築拖來各壩並間段撈浚以刷
代挑務期一律深通現已飭令道廳趕緊妥辦
年微湖存水比上年仍大一尺餘寸東境挑工竣後
即可照例鋪注源源接濟不悞運行蘇淮安郡幫
船廿五隻于正月十二日渡黃前進較比廿一年
重運正月初十日首幫渡黃僅遲二日較比二十年
重運正月十三日首幫渡黃仍早一日臣等惟有督
飭各幫趕緊催提務令銜接攢渡不任遲誤
所有重運首幫渡黃日期謹合詞恭摺奏
聞伏乞
皇上睿鑒謹
奏
嘉慶廿二年正月廿九日奉
硃批知道了欽此
正月十五日

七五六

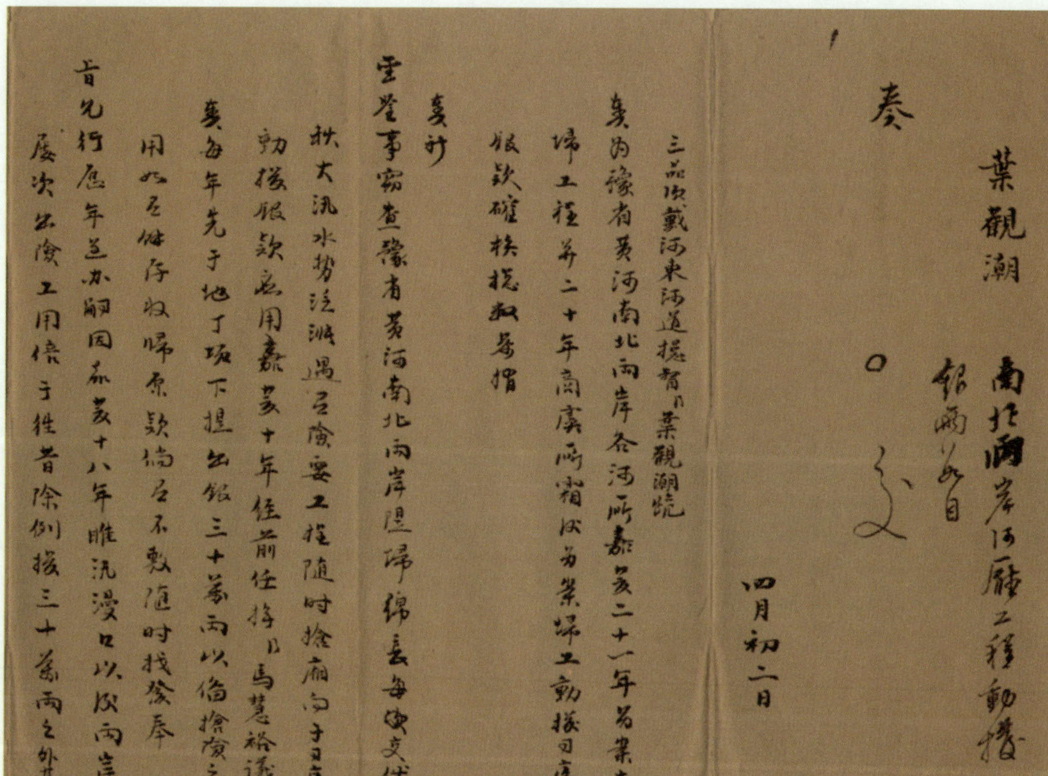

葉觀潮　南北兩岸河廳工程動撥銀兩、各目

奏　〇

四月初二日

三品頂戴河東河道總督臣葉觀潮跪

奏爲豫省黃河南北兩岸各汛所嘉慶二十一年另案土埽工程并二十年商虞兩廳霜後另案埽工動撥司庫銀款確核撥抵恭摺

奏祈

聖鑒事。竊查豫省黃河南北兩岸隄埽綿長，每交伏秋大汛，水勢泛漲，遇有險要工程，隨時搶護，向于司庫動撥銀款應用。嘉慶十年經前任撫臣馬慧裕議奏，每年先于地丁項下提出銀三十萬兩，以備搶險之用，如有餘存，收歸原款，倘有不敷，隨時找發，奏

旨允行，歷年遵辦。嗣因嘉慶十八年睢汛漫口，以致兩岸屢次出險，工用倍于往昔，除例撥三十萬兩之外，其

仍恒援隨用隨工竣，以由河臣核實報銷，而動撥時
未經先爲
奏明，不足以昭慎重。嗣于上年二月内經陞任撫臣方
受疇會同前任河臣李逢亨
奏請照例先撥銀三十萬兩，俟將次用完之際，由河
臣體察情形，預爲籌計，應需添撥若干，由撫臣會
核具
奏，一面行司提出備用。兹因又于七月内經前任河臣
李逢亨會同護撫臣吴邦慶
奏明原撥之三十萬兩亦將次用完，請添撥銀二十萬
兩，并聲明俟需即照此將動撥司庫銀兩數
會同
奏報，復奉
旨允准，欽遵飭司各在案。兹查上年黄河南北兩岸各
廳另案土埽工程共用銀八十萬一千八百八十九
兩四分七厘，又商虞廳二十年霜汛另案埽工共用
銀五萬七千八百三十九兩三錢四分二厘，統共用銀
八十五萬九千七百二十八兩三錢八分九厘，經臣前

河臣李逢亨先後據工確核分別
奏造清單在案內除動用淤灘稭料例帑價及[illegible]
加價實銀十九萬七千七百二十兩外計例撥銀三十
萬兩添撥銀二十萬兩其撥道庫銀五十四兩
每找撥不敷銀十六萬二千零八兩三錢八分九
釐以前奏案兩請庫款所已豫省黃河南北兩
岸各河廳二十一年另案土埽工程並二十年高秦
廳箱以另案埽工動撥司庫銀款撥數緣由理合
會同河南撫臣文寧恭摺具
奏伏乞
皇上睿鑒敕部查核施行謹
奏

嘉慶二十二年四月初二日奉
硃批工部知道欽此

三月二十六日

葉觀潮　處暑節後河水消長情形

奏　〇　七月十九日

三品頂戴河東河道總督臣葉觀潮跪

奏為節屆處暑黃河水勢旋長旋消南北兩岸埽工一

律廂護平穩並籌備料物錢糧加謹防護恭摺奏祈

聖鑒事竊臣於六月二十七日將查勘南岸下游河勢工程並

伏汛安瀾緣由恭摺

奏報在案自立秋至今半月之內黃河陸續長水一二尺不

上游來源未長河槽刷深去路迅速是以消退較易截

至現今正各工僅存有長水二尺五六寸至四尺不等惟節

經盛漲大清之後河勢難免遷徙或生灣上提舊工復

出或塌灘下沈新生要工在在嘆堅接閱歸道翁學崇

稟報上南河廳鄭州下汛十堡順隄埽工五段並下首毗

連之斜三壩埽工二段係上年幾修之工經河溜圈刷

先後墊塌搶補新埽七段，迤下十一堡挑二壩舊埽三
段淤閉多年，全行刷出，並塌及下首隄身，赶廂新埽
五段。中河廳中牟下汛三堡順隄四十二埽至四十九埽，上年
停修，現新有塌蟄，大溜南趨，舊埽根底涮淨，刷傷隄
坦，搶補新埽八段。五堡舊頭壩迤下卅六檔向無埽工，因
對岸挑生灘嘴，全河側注，存灘塌卸，涯及堤根，搶廂順
隄埽五段，保護穩固。下南河廳祥符上汛□堡擺戧壩順
水壩並魚鱗頭壩上首六、七，舊有埽工，於二十、二十一等年
先後淤閉，本年立秋後河水忽長，急溜大溜提生圈刷
舊埽塌卸，分别補廂新埽八段，挑住溜勢，甚爲得
力。又據河北道趙稟，據署黃沁廳武陟汛搶黃堤磨
鄭莊工本係民修

壹向歸黃沁廳督專司修防，並奉□河溜上提下坐，如有
漫溢埽壩，隨時
奏請皆自立案，該工托壩下首舊有三四五六七等壩，本有
淤灘，今河溜北趨，漸次刷塌涯及三壩壩頭，情形緊要，
赶廂新埽三段。祥河廳本係北岸著名要工，連年河勢
下挫，祥符汛十六堡第二道挑壩本無埽工，因壩頭著溜

迴溜擬重搶廂新埽四段並於上首第一道磯埧護
三埽下首接埽一段足資擁護下北河廳銅瓦廂上堤
新埽六段迎上迴溜汕刷甚緊接埽五段曹考廳考城
汛轄小坡頭堤著溜廂埽三段其餘各廳卑職於搶埽
工相機迎壓一律穩固各段情形前來當經批飭各該廳
營率廳營擋節妥辦俟卑職逐工履勘是否俱係妥辦另

容核備陳伏乞垂鑒

憲核卑日查本年伏汛前後果漲頻仍猶而且驟交秋
以後沁黃兩河俱未報長自係盈絀相循之理但時未
白露秋汛為日正長水勢長落實難預定且秋水搜根
淘底防護更關緊要卑職現因北岸上游勘至蘭陽即日
渡河巡查南岸上下各廳並將各廳續估緊要土工督
飭趕辦完竣俾堤壩高厚堅以防續漲一面專委熟
諳工員乘舟自西而東測探中泓水勢及何處生灘
何處刷深繪圖呈報俾全河形勢時在心目之中易
於相機防範其各廳營汛委員亦可於工次常常接見
察其辦事勤惰密為存記分別懲勸至料土錢糧何
處足資貯備何處尚應籌添並得身任目擊隨時隨事

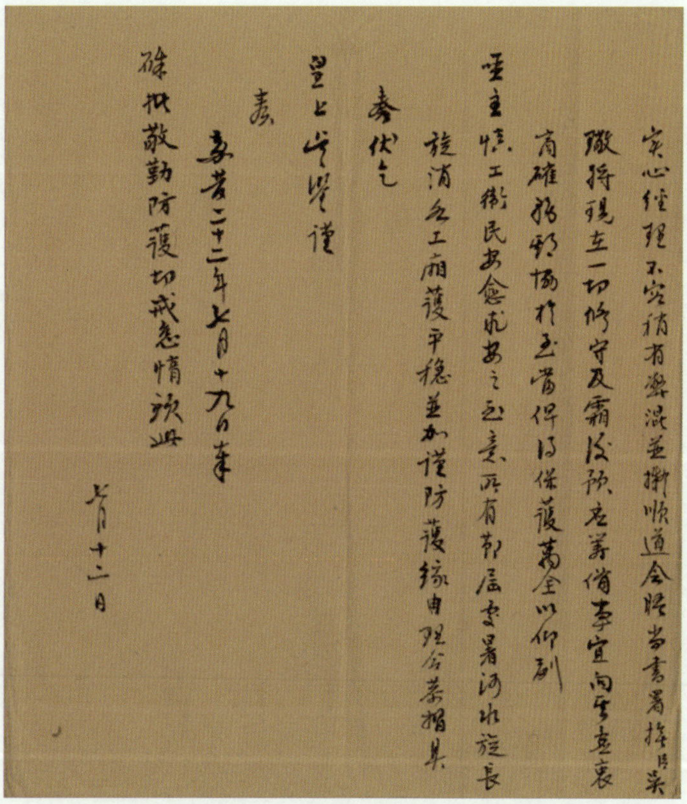
實心經理不容稍有懈誤並擬順道會晤尚書署撫臣吳
徵將現在一切修守及霜後預為籌備事宜向其查衷
商確務期協於至當俾得保護萬全以仰副
聖主慎重工衛民安瀾之至意所有新任署河北道長
祿清各工兩護平穩並加謹防護緣由理合恭摺具
奏伏乞
皇上聖鑒謹
奏
道光二十二年七月十九日奉
硃批敬勤防護切戒急情欽此
七月十二日

七五八

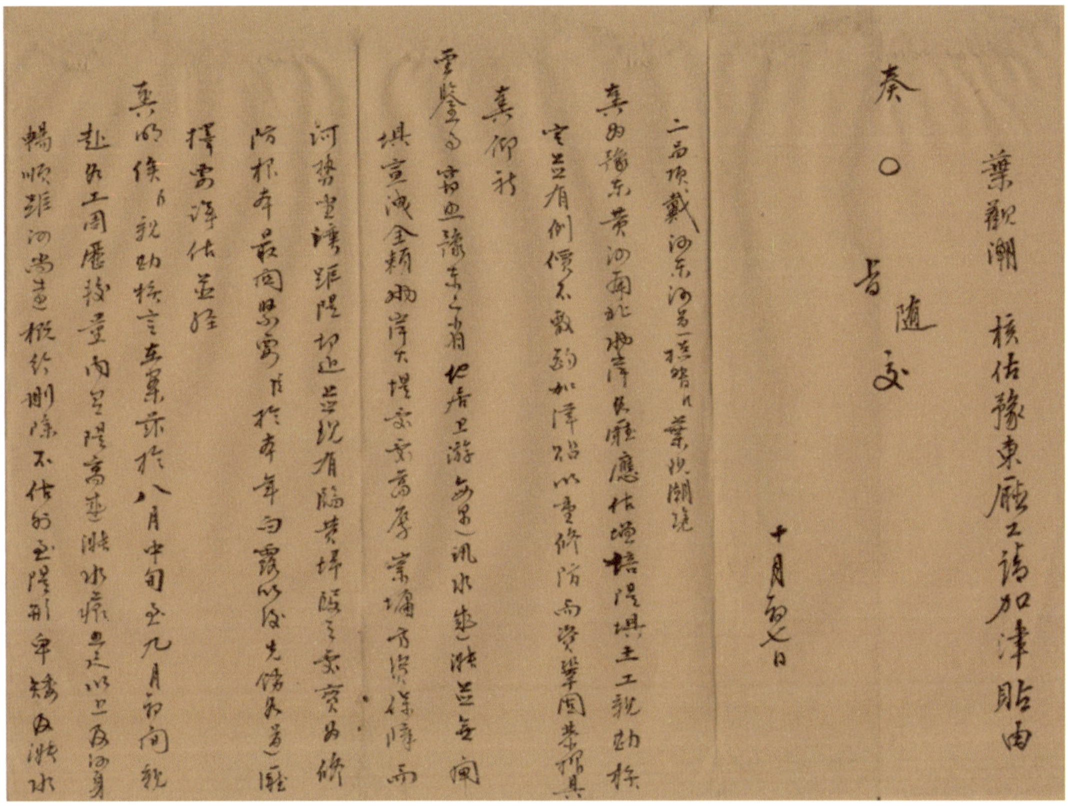

葉觀潮　核估豫東廳工請加津貼由

奏〇

旨隨交

十月初七日

二品頂戴河東河道總督臣葉觀潮跪

奏為豫東黃河兩岸各廳應估搶辦堤埽土工就勘核

實並有例價不敷請加津貼以重修防而資鞏固恭摺具

奏仰祈

聖鑒事竊照豫東之省地處上游每屆汛水盛漲並無一閘

洩宣洩全賴兩岸大堤束水高厚完堅方資保障而

河勢靡常距堤切近並現有臨黃埽段之處實為修

防根本最關緊要前於本年查勘情形先將各廳

擇要詳估並經

奏明係分飭就勘核實在案茲於八月中旬至九月初間親

赴各工周歷履勘堤內外隄高矮堤水痕無定以上及河身

暢順並河勢直概行刪除不估外其隄形單薄及漲水

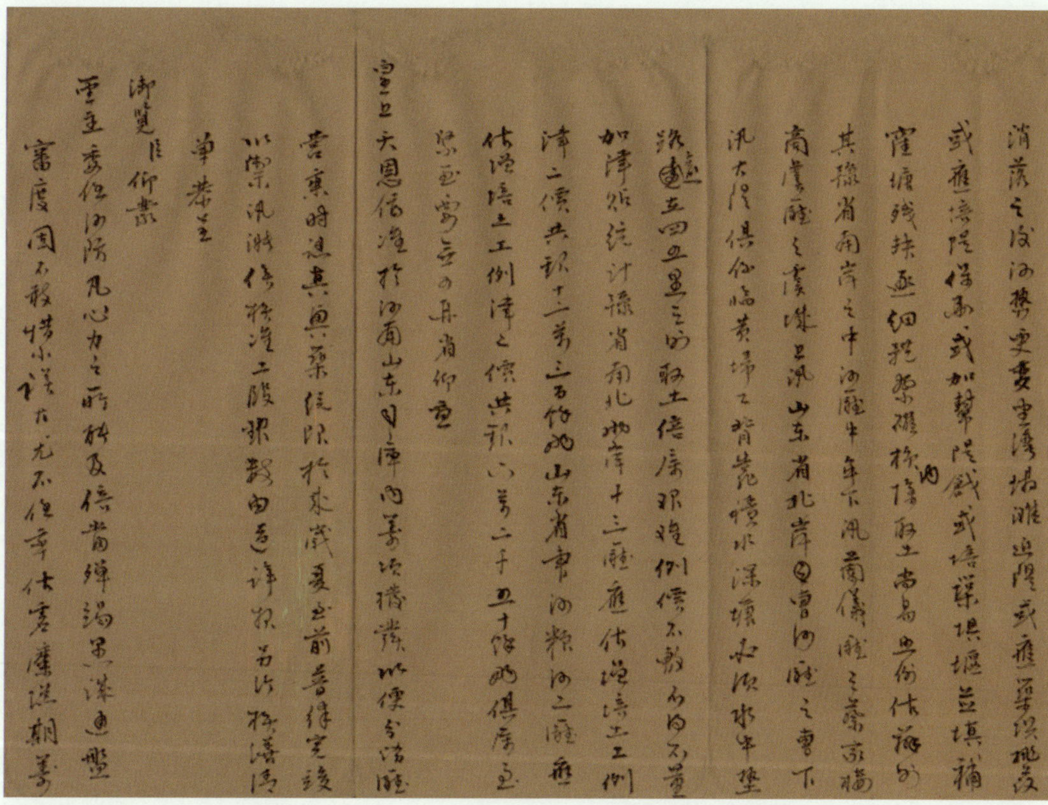
消落之後河勢更易重溜堵灘無隄或應單薄地段
或應培隄保護或加幫隄戧或培築堤堰並填補
窪塘殘缺並細挖槽礙於隄內取土尚易無從估補於
其豫省兩岸之中河廳本年下汛蘭儀廳之蔡家樓
商虞廳之虞城上汛山東省北岸曹河廳之曹下
汛大隄俱係臨黃埽工背靠積水深塘必須就中墊
築五四五里之明取土係屬照例價不敷而內不量
加津貼統計豫省南北兩岸十三廳應估隄埽土工例
津二價共銀十二萬三百餘兩山東省曹河糧河二廳應
估隄埽土工例津二價共銀八萬二千五十餘兩俱屬
緊要無可再省仰懇
皇上天恩俯准於河南山東司庫內籌款撥發以便分諭廳
營乘時趕緊興築統限於來歲夏至前普律完竣
以禦汛漲倘有工段草率由臣等嚴參不准稍有浮濫
單恭呈
御覽臣仰懇
聖主垂佳河防凡心力之所能及倍當殫竭以冀涓埃
高厚因不敷情形謹合詞恭摺具奏伏乞
皇上聖鑒

當茲全功歸實濟，以仰副

皇上重帑慎工、保衛民生之至意。商之河南撫臣文寧、山東撫臣陳預，意見相同，理合恭摺具

奏，伏乞

睿鑒訓示。謹

奏。

嘉慶二十二年十月初七日奏

硃批：欽此。

十月初一日

七五九

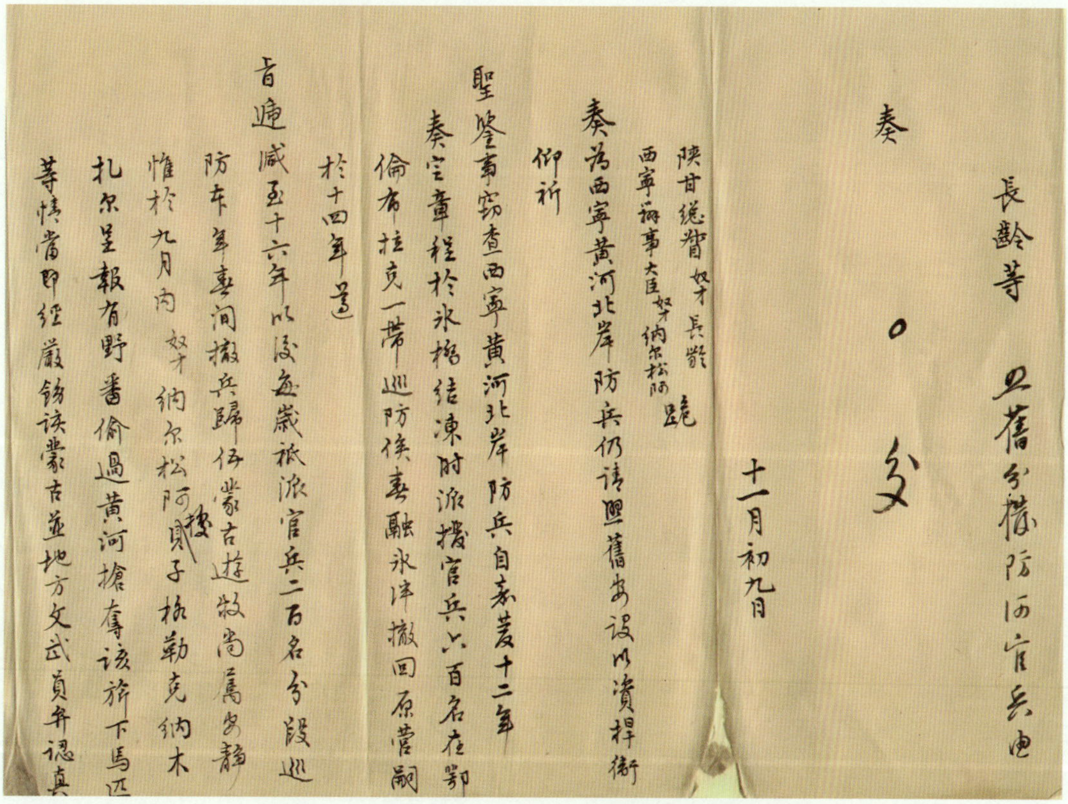

長齡等 照舊分撥防河官兵由

奏 ○ 覽

十一月初九日

陝甘總督奴才長齡
西寧辦事大臣奴才納爾松阿 跪

奏為西寧黃河北岸防兵仍請照舊安設以資捍衛

仰祈

聖鑒事竊查西寧黃河北岸防兵自嘉慶十二年

奏定章程於冰橋結凍時派撥官兵六百名在鄂

倫布拉克一帶巡防俟春融冰泮撤回原營嗣

於十四年遵

旨遞減至十六年以後每歲祇派官兵二百名分段巡

防本年春間撤兵歸伍蒙古遊牧尚屬安靜

惟於九月內奴才納爾松阿據貝子根勒克納木

扎爾呈報有野番偷過黃河搶奪該旗下馬匹

等情當即經嚴飭該蒙古並地方文武員弁認真

緝捕務獲究辦在案伏思青海蒙古不能凛遵
聖諭努力自强以致頻年派撥官兵爲之防護固屬
怯懦無能但地界遼闊蒙古積弱已久殊難
期振作而野番强悍性成於河水未凍之前尚
且搶奪馬匹若值冰橋漸次結凍若不撥兵設
卡預爲彈壓僅令蒙古自行防守難免滋蔓奴
才等往返札商應請照舊派撥西寧鎮屬官兵二
百名飭令該總兵蔓庭於遊擊都司内揀派一
員帶領前往安卡巡防其鹽菜口糧循例支給
並傳諭蒙古王公等照依向例添派蒙古兵丁
隨同努力守禦務使野番不敢過河搶奪俟來
春冰泮即撤兵歸伍以節帑費所有本年冬
間派撥防河官兵緣由理合會同奏
聞伏祈
皇上睿鑒謹
奏
嘉慶二十二年十一月初九日奉
硃批知道了欽此
十月二十一日

七六〇

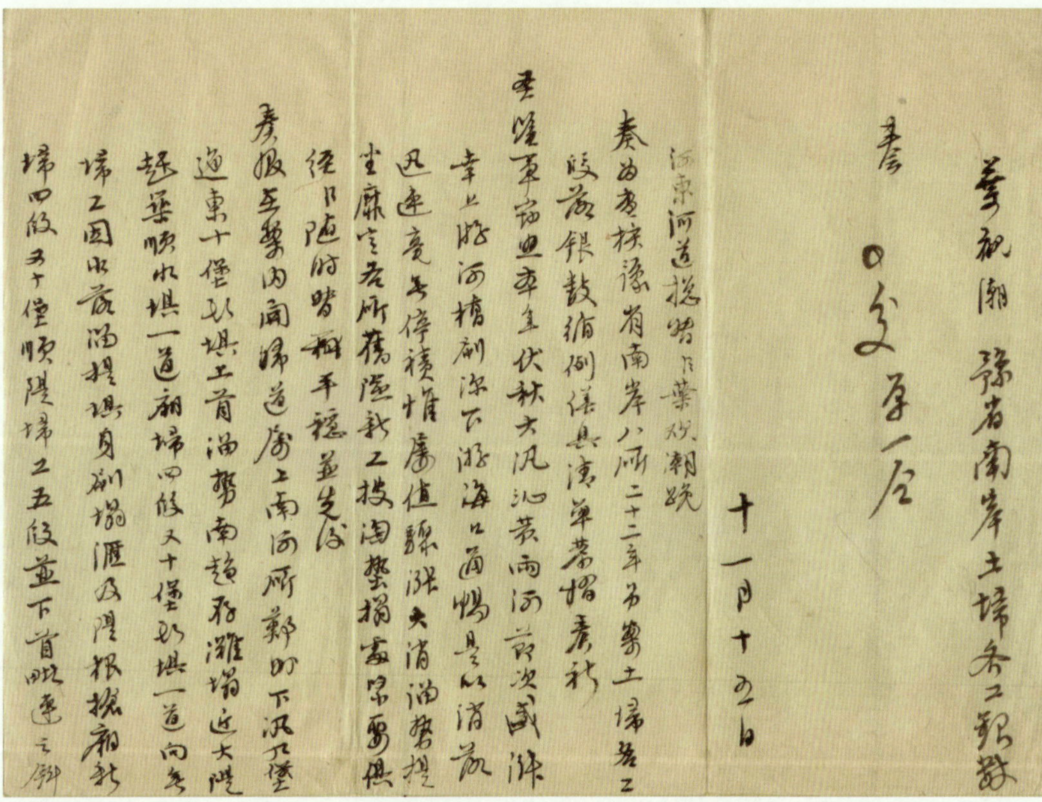
葉觀潮 豫省南岸土埽各工銀數

奏 ○覽單一件

十一月十五日

河東河道總督臣葉觀潮跪

奏爲查核豫省南岸八廳二十二年分案土埽各工

段落銀數循例繕具清單恭摺奏祈

聖鑒事竊照本年伏秋大汛沁黃兩河前次盛漲

幸上游河槽刷深下游海口通暢是以消落

迅速竟無停積惟處值驟漲大消溜勢提

坐蕪之處所舊險新工搜淘墊矬處處可慮

經臣隨時督辦平穩並先後

奏報在案內開歸道屬之南河廳鄭州下汛九堡

迤東十堡北堤土首溜勢南趨務灘塌近大隄

趕築順水壩一道廂埽四段又十堡北堤一道向無

埽工因水落溜提堤身刷塌匯及隄根搶廂新

埽四段五十堡順隄埽工五段並下首睢逕之斜

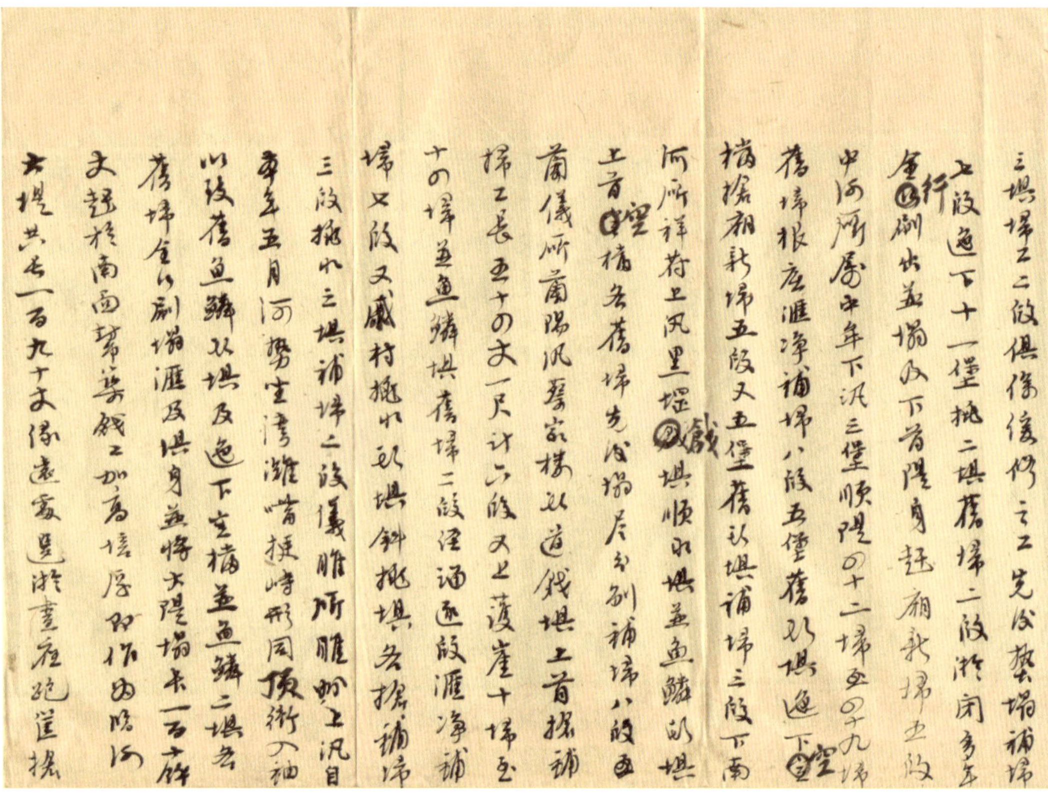

三堤埽工二段俱係優修之工先後蟄塌補埽
七段迤下十一堡挑二堤舊埽二段淤閉多年
全行刷出並塌及下首隄身蟄廂新埽五段
中河所屬本年下汛三堡順隄四十二埽至四十九埽
舊埽根底淘淨補埽八段五堡舊越堤迤下空
檔搶廂新埽五段又五堡舊越堤補埽三段下南
河所祥符上汛黑堽戲堤順水堤並魚鱗卧堤
上首空檔各舊埽先後塌脫刷補埽八段並
蘭儀所蘭陽汛蔡家樓以迤越堤上首搶補
埽工長五十四丈一尺計六段又上渡崖十埽至
十四埽並魚鱗堤舊埽二段淫涌迤段淘淨補
埽又段又盛村挑水卧堤斜挑堤各搶補埽
三段挑水之堤補埽二段儀睢所睢州上汛自
本年五月河勢坐灣灘嘴提崖形同頂衝入袖
以後舊魚鱗卧堤及迤下空檔並魚鱗二堤各
舊埽全行刷塌滙及堤身並將大隄塌去一百六十
丈疑於南面埽蓋接二加高培厚即作為臨河
大堤共長一百九十丈係遠處塞淤盡在跑道搶

築例價二錢一分六厘不敷人夫日食每方津
貼銀一錢八分四厘並搶廂護埽十六段方臻鞏
固詎因伏秋雨汛溜勢側注不移該工四堡挑水
二垻廂埽三段三垻廂埽二段並於兩垻空檔各
廂護埽二段又十四堡挑水四垻向無埽工河溜
塌刷廂埽四段睢寧所睢州下汛二堡工圈堤搶
廂新埽二段五堡小挑垻並上首錢垻搶還處
廂埽三段十五堡挑水二垻各廂新埽四段商虞
所虞城上汛十四堡三垻補埽五段磨盤垻迎溜
空檔廂埽三段十八堡順隄二十八九埽三十埽並三十
三四埽舊埽刷塌補還五段又十四堡順水二垻
搶補新埽五段並於二三兩垻下首各廂新埽二段
四垻三埽迎下搶廂裏頭埽一段五垻頭埽上首
搶廂藏頭埽一段歸河廳虞城下汛十五堡民堡
前搶補新埽五段並於民堡迎溜搶廂頭二三
埽又於民堡迎溜三埽下首補埽六段以上各
工搶用埽通計需動用工料銀數遂
造報以搶工難核分別刪減均無浮多理合開

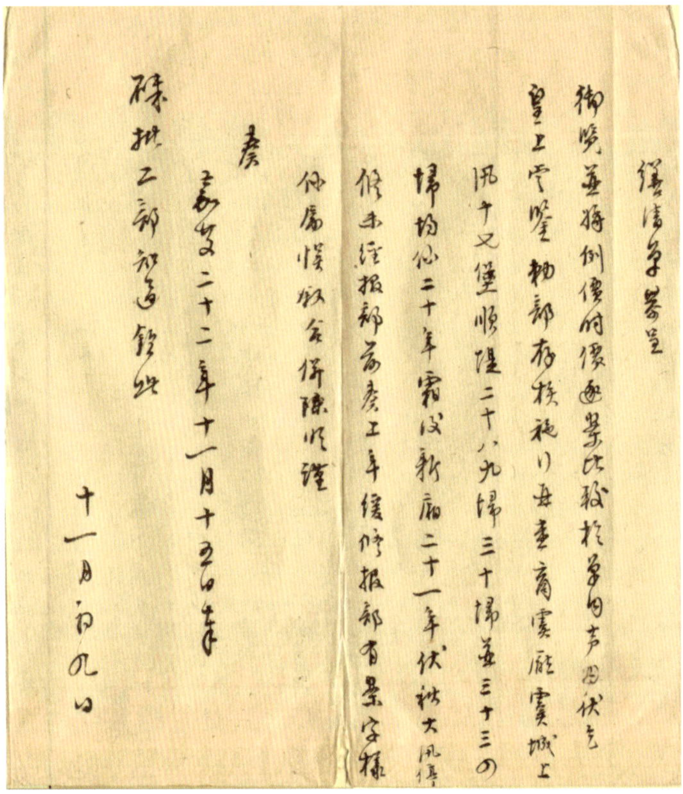

繕清單恭呈

御覽，並將例價、附價逾案比較於單內聲明。伏乞

皇上睿鑒，敕部存核施行。再查商虞廳虞城上

汛十七堡順堤二十八、九埽，三十埽並三十三四

埽，均係二十年霜後新廂，二十一年伏秋大汛搶

係未經報部，前奏上年續修報部有案字樣

係屬誤敘，合併陳明。謹

奏

嘉慶二十二年十一月十五日奏

硃批：工部知道。欽此

十一月初九日

後記

我是從數學史學習中逐步瞭解治黄史的。漢代《許商算術》的作者許商，好天文術數之事的王景、李尋善，他們既是數學家，又以治理黄河而聞名。我國現存最早的河工著作《河防通議》，將中國古典數學天元術運用到治黄工程中，創造了中國古代工程數學的一個高峰。除了數學史之外，内蒙古師範大學科學技術史研究還以少數民族科技史和地方科技史見長。李迪先生曾指出地方科技史研究的重要内容是人與自然環境變遷、科技遺迹與自然環境以及環境與生産的關係，此類研究具有明顯的現實意義和重要價值。想要通過大科學史研究，弄清變遷的原因和未來的發展趨勢，産出對于地方各方面的開發有更大、更直接價值的成果，這類研究大多離不開文獻。之後，李迪先生更是直接指出科技史研究不僅是對過去的科技工作和科技成果的回顧與總結，而且要着眼于現代，讓古人的發明創造爲今人服務，繼續在現代發揮其應有的作用。我將先生大科學史的治學理念視爲座右銘，在科研工作中更加注重讓科研成果服務于國家戰略與區域發展需求。

二〇一九年九月，習近平總書記在黄河流域生態保護和高質量發展座談會上指出，黄河流域在我國經濟社會發展和生態安全方面具有十分重要的地位。黄河流域生態保護和高質量發展是重大國家戰略。同年十月，黨的十九届四中全會提出『加强邊疆治理，推進興邊富民』，首次把邊疆治理寫入黨的文件。内蒙古師範大學組織科研力量，積極申報研究闡釋黨的十九届四中全會精神的國家社科基金重大項目，其中『中國特色社會主義民族區域自治制度自信研究』項目獲批。我承擔其中的『鑄牢中華民族共同體意識下的民族自治地方文化自信研究』子課題，而黄河是首選文化要素。二〇二四年，該項目順利結項，我也對黄河文化所藴含的時代價值有了更深的體會。

有鑒于此，我帶領文化遺産智能應用服務中華民族共同體建設『英才興蒙』團隊，以黄河爲主題，開展了文獻、文物、傳統工藝等多模態資源庫建設和跨模態應用示範工作。這次與内蒙古人民出版社合作出版的《黄河國家治理文獻集成》，旨在梳理和總結文獻中所藴含的歷史經驗和文化信息，爲當代及未來的黄河治理和地方文旅産業發展提供參考與借鑒。

感謝内蒙古民族文化産業研究院、巴彦淖爾市圖書館等単位的傾力相助，感謝内蒙古自治區黨委宣傳部、内蒙古出版集團、内蒙古人民出版社對本項目的支持與幫助。

在此，也向致力于黄河治理和大河安瀾的歷代先賢與當代典範表達崇高的敬意：你們的不懈努力與無私奉獻，爲黄河的安寧與人民的福祉築起了堅實的防綫；你們的智慧與勇氣，將永遠銘刻在中華民族的歷史豐碑上，激勵後人不斷前行。

董杰

二〇二五年一月